ふるさとに風が吹く

福島からの発信と地域ブランディングの明日

箭内道彦・河尻亨一

朝日新聞出版

まえがき

風が好きです。
追い風、そよ風、向かい風、
背中を押してくれたり、カーテンを揺らしたり、涙をそっと乾かしたり。

風をみた人はいなかった
風のとおったあとばかり見えた
風のやさしさも　怒りも
砂だけが教えてくれた

（『ソナチネの木』より）

これは、10代の頃に出合った、岸田衿子さんの詩です。
定まる形のない自分でありたいと、いつもそう思ってきました。

2003年、40歳を前に「ひとり広告代理店」を掲げ、
坂本龍馬のような触媒になろうと、
「風とロック」という会社を立ち上げました。

2011年。震災、津波、東京電力福島第一原子力発電所の事故。
好きだったはずの「風」が、大怪我をした故郷を苦しめました。

「風評」、「風化」。
無力を感じた僕は、風とロックの看板を一度降ろし、
1年間、「すき」という社名に変えました。
正しいか違ってるか、ではなく、
誰も否定できない感情を最大公約数として掲げ直したい、と。

故郷との距離と向き合い方はそれぞれに人の数だけ存在すると思います。
今、この本を手にしてくださっているあなたの故郷は、
あなたにとってどんな故郷でしょうか？

たくさんの力を重ねて、東日本大震災からの復興を歩む
福島県に吹く風の跡のひとつが、
いつかあなたの故郷の役に
何らか、もし立つことができたらと、この本が生まれました。

福島県の復興は道半ばです。
全国の地方自治体が同じように抱える課題が
震災によって10年早くに表出したのだとも言われています。

互いを否定し合う議論や、思いが衝突する対立は、高い分断の壁を築きます。
前に進むには、妥協や諦めではなく、勝利や敗北でもなく、
両者をつなぐ第三の答えがどうしても必要です。

課題は逆風のようなもの。
クリエイティブには、その風向きを変える力が少なからずあるはずだと、
僕は思っています。
様々な力を集め、オルタナティブを発想・生成し実現すること。
そこにこそ変動の契機が形成されます。

ただ、その力もまた空気のように透明です。
見えないものを「見える」に換え、
主観と客観を行き来しながら多面的な記録とするために、

B
S
O

この本は一風変わったスタイルで綴られます。

共著者である河尻氏が、事実とその解読を、
関係者へのインタビューなども交えながら記述。
それを受けて箭内が、主観を記していきます。

クリエイティブが、故郷の課題を解決することができるのか。
皆の言葉が風のように行き交い、
交差する場所に、未来への鍵が隠されているかもしれません。

逆風と、立ち向かう風。

今日もふるさとに、風が吹いています。

12年が経ちました。
良くも悪くも、福島への世の中の目線が変化していることを感じます。
「もういいんじゃないか」「もう大丈夫でしょ」という声が
聞こえ始めていることも事実です。
民間団体等の復興支援も、次々に終了していっているそうです。
忘れて前に進むのは自然なこと、なのかもしれません。
新しい苦難が、世界の各地で、今日も生まれているなかで
立ち止まり、
ふるさとの発信の今日と明日を
考えています。

2023年3月

箭内道彦

目次

口絵写真　箭内道彦
装丁　寄藤文平＋垣内晴（文平銀座）

あなたの思う福島は
どんな福島ですか？

あなたの思う福島はどんな福島ですか?

福島県という名前を変えないと、復興は難しいのではないかと言う人がいます。
海外のかたの中には、日本人はみんな、防護服を着ていると思っている人もいるそうです。

あなたの思う福島はどんな福島ですか?

福島にも、様々な人が暮らしています。
括ることはできません。
うれしいこと。くるしいこと。
進むこと、まだまだ足りないこと。光の部分、影の部分。
避難区域以外のほとんどの地域は、日常を歩んでいます。

お時間があれば今度ぜひいらしてくださいね。
ふらっと、福島に。
いろいろな声によって誇張された福島はそこにはありません。
おいしいものが、きれいな景色が、知ってほしいことが、たくさんあります。
おもしろい人が、たくさんいます。
未来に向かう、こどもたちがいます。

あなたの思う福島はどんな福島ですか?
あなたと話したい。
五年と、一日目の今日の朝。

福島の未来は、日本の未来。
昨日までの、あたたかな みなさんからの応援に感謝します。
原発の廃炉は、長い作業が続きます。
名前は変えません。
これからもどうぞよろしくお願いします。

ほんとにありがとない。

福島県

新聞広告

2016年3月12日付

全国版

2016年3月12日。全国の朝刊にある広告が掲載された（読売・朝日・毎日・日経ほか）。ビジュアルは晴れた空を思わせる淡いブルーをバックに、20行ほどの文章を記したシンプルなもの。ヘッダーには「あなたの思う福島はどんな福島ですか？」というキャッチコピー。

どんな福島ですか？

日頃なら、そう問われたところで、イメージを持ちづらかったかもしれない。この広告を目にした多くの人は、日常の暮らしの中で「福島県」に対して何か格別な思いを抱いているわけではない。県外居住者にとって福島は47都道府県のひとつにすぎない。

だが、その日の読者は福島を、そして東北を、いつもより強く意識していたはずだ。なぜならこの掲載日は、東日本大震災から5年を迎えた「3・11」、その翌日だから。

「あの日から5年」をひとつの節目として、その前日までテレビや新聞、各種ネット媒体などでは震災を振り返る企画が目白押しとなり、復興の進捗から原発の廃炉の現状などが繰り返し報道されていた。

この広告はそんなタイミングで「福島県」が発信した全国への問いかけ。同時にこれまでの支援への感謝を伝えるメッセージでもあった。それにしても——。

「あなたの思う福島はどんな福島ですか？」

どんな福島だろう？　この言葉に目を留めた人は、新聞のページをめくる手も止める。そしてイメージする。

桃などの果物に銘菓や銘酒などの特産品、会津の鶴ヶ城や磐梯山といった観光地、喜多方ラーメンなどのご当地グルメ、相馬の野馬追など伝統の祭事、あるいは自分に縁ある福島の知人・親戚を思い浮かべる人もいただろう。

だがむしろ、つらい記憶を思い起こす人のほうが多数だったと推察される。重くのしかかるのは、震災のこと、東京電力福島第一原子力発電所の事故のこと。未曾有の災害がもたらした痛みの感情が甦る。

受け手のそんな当惑を予想していたかのように、「問いかけ」の次にはこんな言葉が続く。

福島県という名前を変えないと、復興は難しいのではないかと言う人がいます。
海外のかたの中には、日本人はみんな、防護服を着ていると思っている人もいるそうです。

あなたの思う福島はどんな福島ですか？

福島にも、様々な人が暮らしています。
括ることはできません。
うれしいこと。くるしいこと。
進むこと、まだまだ足りないこと。光の部分、影の部分。
避難区域以外のほとんどの地域は、日常を歩んでいます。

お時間があれば今度ぜひいらしてくださいね。
ふらっと、福島に。
いろいろな声によって誇張された福島はそこにはありません。

おいしいものが、きれいな景色が、知ってほしいことが、たくさんあります。
おもしろい人が、たくさんいます。
未来に向かう、こどもたちがいます。

あなたの思う福島はどんな福島ですか？
あなたと話したい。
五年と、一日目の今日の朝。

福島の未来は、日本の未来。
昨日までの、あたたかな みなさんからの応援に感謝します。
原発の廃炉は、長い作業が続きます。
名前は変えません。
これからもどうぞよろしくお願いします。

ほんとに ありがどない。

福島県

まるで〝手紙〟のような語り口だ。

メッセージを読み進める中で、福島県（広告主）に対する受け手のイメージが、ネガからポジへゆっくり反転していく。そんな願いと狙いをもとに丁寧に書かれている。決して派手なビジュアルではないが、この新聞広告に、確かな説得力と共感性が宿っているのは、この語りの技術によるものだろう。

この新聞広告を〝監修〟したのは箭内道彦。福島県のクリエイティブディレクターだ。

広告や広報、マーケティング関連の業務に携わったことがある人なら、それを聞いてちょっと驚くかもしれない。通常、企業のキャンペーンなどを統括するポジションである「クリエイティブディレクター」という役職が、県という行政組織に設けられているという話は、あまり耳にしたことがないからだ。

なぜ、県にクリエイティブディレクターなのか。この役職はなんのために存在するのか。

福島県庁によると県クリエイティブディレクターは次の3つの業務を担うという。

一、福島県が行う大規模情報発信事業に対する企画段階からのアドバイス

一、「チャレンジふくしまプロジェクト」に係る総合プロデュース
一、右記のほか、福島県の情報発信に対するアドバイス

設置の趣旨は「世界が注目する復興に向けてチャレンジする姿を、国内外に力強く発信するため」とされる。

県クリエイティブディレクターとして箭内は、2015年4月から8年間にわたって（2023年現在）、様々な情報発信業務に携わってきた。テレビやウェブで公開されるコマーシャル、ポスターや情報誌、イベント、商品パッケージにスローガンなど。新聞広告「あなたの思う福島はどんな福島ですか？」もそのひとつである。

民間のクリエイターが、行政のブランディングを支援するとき、その現場ではどんな化学反応が起きていたのか。具体的な課題とその成果は？ そもそもクリエイティブや広告で地域にいい風を吹かすことができるのか？

本書では官民を横断して行われる箭内道彦の活動を軸に、彼と協働しながら福島県の発信をサポートしてきた人々による奮闘の記録が綴られる。その中で前述の問いについても考えてみたい。

この手の本はクリエイターや関係者の一方的な〝成功談〟に終始しやすい。当事者にその気がなくとも、強いこだわりや主張、創作物へのあふれる思いがどうしても前に出てしまうからだ。もちろん、つくり手側のマインドは重要だが、幅広い業種、世代の読者に理解しやすい読みものにするためにも、主観と客観のバランスに留意したい。

そこで本書は一風変わったスタイルを採用する。プロジェクトの当事者である箭内と取材者である私（河尻）が、各章のトピック（実施事例）について、それぞれ別に執筆する。それを交互につなぎ合わせて、リレーのようなスタイルで物語を前に進めていく。

箭内がプロジェクトへの意志や思いを当事者として綴り、河尻が第三者的な分析を加えつつストーリー化することで、立体的なドキュメントとして描いてみたい。両者の著述はときにシンクロし、ときに視点や温度感が食い違うこともあるだろう。むしろその〝揺らぎ〟の中に、「ふるさとブランディング」の真意を読み取っていただければ幸いだ。

「ふくしま」の発信にフォーカスした内容でありつつ、地域振興やブランドづくりの未来、その風通しをよくするような1冊を目指したい。

もう一人の著者、箭内道彦です。

この本には、2015年以降、県クリエイティブディレクターとして「官」に入りディレクションをしている福島県の発信とともに、2007年から「民」として僕が続けている故郷ふくしまの発信が記されています。

道半ばである震災からの復興と同様に、福島県のブランディング作業もまだ途上です。成果を並べ、振り返りをする地点には、実はまだ至っていません。でも、まえがきの最後にも記したように、12年が経ち、風化と変化を肌で感じる中、「道半ば」の記録を残し、伝えることで、この本にいまできることは、少なからずあるはずとも考えます。

「地域ブランディング」を考えたとき、それは官の発信だけを指すのではなく、多くの有志がそれぞれ自発的に発信する民の活動の集積も含めて形成されています。本書を通じて、両者が、ある部分においては地続きでもあることもお伝えできればと思います。2007年からの「民」としての故郷との向き合いが自分にもしなかったら、現在の自分の形はまったく違っていたと思います。

この本をつくるにあたっての、共著者である河尻氏からの提案は、「県のクリエイティブディレクターである箭内道彦を軸として、これまでの取り組みに主観と客観の両面から迫る。そのことで『ふくしま』の発信のストーリーを記録し、全国各地における『ふるさとブランディング』の重要性を伝える」というものでした。

もう一人の著者として自分にできることは、出身者として、ブランディング作業の当事者の一人として、問いに答え、その時々の主観を添えること。「固有を語らなければ普遍に至らない」と言う河尻氏と並走しながら。


それでは、お話を始めます。

2016年3月12日の全国紙朝刊。「あなたの思う福島はどんな福島ですか?」。この問いかけは、世界中のすべての人たちへの質問です。

「福島」が、2011年の震災直後からアップデートされていないままの人、思い込みや決めつけで外側からレッテルを貼ってしまっている人、そんな人たちの「誤解」を「理解」に変える入り口をつくりたい。今の福島県を正しく知ってほしい。そのことを県が明言し、そのための発信を続けていくことを約束する手紙でもありました。

強く抑制された静的なレイアウトに、穏やかな口調で、かなり踏み込んだメッセージを発しています。この新聞広告の原稿にOKを出した内堀知事、福島県庁の方々、勇気を要する決断でもあったと察します。「よくぞ言ってくれた」と県民の皆さんからいただいたいくつもの声に、改めて「誤解を理解に変える」入り口に立つ「福島県のブランディング」のリスタート、福島県クリエイティブディレクターの重責を意識させられました。

この広告出稿には、クウェート国からの救援金を一部活用しています。東日本大震災からの福島は、たくさんの国、たくさんの人、たくさんの心に救われました。

県内紙（福島民報・福島民友）には、同じ原稿を縮小してレイアウトし当日朝の全国への発信を報告、知事から県民の皆さんへこのように言葉を添えました。

県民のみなさま、おはようございます。
五年と、一日目の今日の朝、全国の朝刊にこんな広告を掲載しました。
風化させないようにと、「忘れない」という言葉が使われますが、私たちにとって、あの日からのことは、忘れることの方が難しいです。

はま、なか、あいづ。いわずもがな、福島県は広大です。

気質も、思いも、様々な人が、互いを尊重し合いながら暮らしています。

それぞれが、未来に向かって。

お忙しいとは思いますが、もしお時間があれば、ぜひみなさんも県内を旅してみてください。

あなたがまだ行ったことのない街に。おいしいもの、きれいな景色、素敵な人に出会いに。

これまでのみなさんのご努力に、あらためて、心からの感謝を込めて。

内堀雅雄

震災の翌年以降、「3月はテレビをつけない」と口にする福島の仲間たちが多くいます。災害の映像や「あれから何年」という言い方のあふれる放送を見るのが苦しいからと。「内と外」という言い方は好きではありません。しかし、全国の人に伝えたいメッセージと県民と共有したい労い（ねぎらい）をひとつの広告にすることはできないと考え、全国版と県内版をこのような別原稿にしました。互いの思いがひとつになり、やがて内と外に同じ原稿を発信できたとき、復興のステージは一段進むと考えます。

福島にとって3月11日は大きな声を出す日ではなく、静かに祈る日です。この新聞広告を3月12日に掲載したのもその思いがあってのことでした。

207万人の天才。

福島民報115周年記念特集
風とロックと福島民報

207万人の天才。

なんか、すげえワクワクしてきましたね。そういうこと考えると。

「福島民報」

創刊115周年記念特集

2007年8月1日付

「福島県が復興に向けてチャレンジする姿を、改めて国内外に強く発信していく必要がありました。震災から1年、2年、3年と年月が経過していく中で、記憶が風化していく。一方で風評であったり、福島県の情報がなかなか正しく伝わらない。そんな課題が生じていたんです」

そう語るのは現・福島県知事の内堀雅雄だ。内堀は2014年秋の県知事選で初当選、2023年現在3期目を務めている。箭内道彦を県のクリエイティブディレクターに起用した経緯についてはこのように説明する。

「私が知事に就任した翌年、2015年の2月に、『ふくしまから はじめよう。サミットin首都圏』というイベントを実施し、そこで対談した際、私から箭内さんに、福島の情報発信を応援してほしいんだということをお伝えしました。そして、ちょうど震災から5年目の節目を前に、福島県のクリエイティブディレクターに就任していただくことになりました」

内堀は福島県の副知事を務めていた2007年以降、箭内と交流を深めてきた。その出会いのきっかけになったのは、地元紙「福島民報」だった。

「いつものように、朝、朝刊を取りに行きましたら、いつもと違う雰囲気の新聞が入っていて。『これは何だろう?』と思い、新聞をめくっていくと、写真と短いコメントだけが並んでいる。一番驚いたのは、ピントが完全にぼけている写真が1枚入っていること。何を言いたいのか一瞬わからないんですけれど、全体を見ると真意が伝わってきました。

そのメッセージの本質は『207万人の天才。』というタイトルに表れています。これは当時の福島県の人口で、『県民全員が何かの優れた才能を持っているんだよ』ということを伝える特集企画だったんです。

私はすごく衝撃を受けました。そこで『だれがつくっているんだろう?』と思って確認したら、箭内道彦さんだったんです。ぜひ会ってみたいと思い、箭内さんとサンボマスターの山口隆さんが組んでいた『ままどおるズ』というバンドが、郡山にある#9というライブハウスで公演する話を聞きつけ、ノーアポで楽屋へとご挨拶にうかがいました。その日から折にふれ箭内さんと交流を重ねる中で、彼の福島に対する思いの強さが伝わってきて、そこに非常に共感したわけです」

内堀も感激した新聞特集はどんな企画だったのだろう？

「風とロックと福島民報～２０７万人の天才。」は、２００７年に創刊１１５周年を迎えた「福島民報」記念号向けの特集だ（8月1日付）。箭内道彦が主宰する「風とロック」とのコラボレーション企画となっており、箭内はこの日の朝刊別刷を11面にわたって手がけている。

会津若松市出身であるミュージシャンの山口隆（サンボマスター）を被写体に、猪苗代湖、福島駅、会津・鶴ヶ城など県内各所の風景を雑誌の写真ページ風に見せていくもの。それぞれの写真には短いコメントがついている。箭内と山口による対談ページもある。

内堀も話していたように、大ゴマの写真ページで構成された「２０７万人の天才。」は何を伝えたいのか？　一見よくわからない印象も与える。しかし、インパクトは十分。商店街のシャッター前で撮られたピンボケの写真を掲載するなど、新聞という律儀なメディアの試みとして異彩を放つ。地方紙の記念特集として大胆なチャレンジと言えそうだ。

写真に付されたコメントを読んでいくと、メッセージの全貌が見えてくる仕かけになっている。たとえば次のようなもの。

人間って今までやったことないことで、ものすごい才能が、実はあるんじゃないか。福島の207万人全員がそれぞれを見つけられたら、日本はすごいことになる。

この福島って、なんていうのかな、今までの溜まっているパワーが半端じゃねえってところあるんですよね。全国でも、トップレベルの。足下から感じる芸術的マグマ。隠れ埋蔵量は相当。全国一といってもいいくらいだと思いますよ。

テレビでみんなこうやってるから、俺はこうやんなきゃいけないとか、クラスの中心がこうだから、俺はこれを聞かなきゃいけないとか、そういう呪縛から離れた瞬間に、もう全国の誰もやりえなかった天才になれるんです。

つまり、この企画は山口隆の言葉を借りながら、地域の人々がそれぞれの内に眠る才能（天才）に気づいて、もっと自信を持って生きようと発破をかける、全県民への応援メッセージになっている。

「207万人の天才。」がリリースされた当時、私はある広告クリエイティブ専門誌に所属しており、この新聞も箭内道彦から見せてもらっていた。だが、箭内のほかの仕事と違い、この企画に関しては、正直、あまりピンときていなかった。

写真を使った大胆な発信だとは思いつつ、「ふるさと（地元）」というものが持つイメージと「天才」の言葉のイメージが、組み合わせとして唐突な気もして、頭の中でうまくリンクしなかったのだ。

だが、本書の取材のプロセスで、この紙面に感激し、勇気づけられたという人に何人も出会った。このコミュニケーションは効いていた。

「福島民報」やその「115周年」と、どんな関係があるのかもよくわからない。紙面に漂う独特の〝インディーズ感〟をいかに解釈すればよいものか？

実はここには、福島県出身である箭内道彦のパーソナルな肉声までも刻印されている。彼はふるさとに対してアンビバレントな感情を抱いていた。

2007年6月、地元の新聞社「福島民報」の方が、ノーアポイントで突然事務所を訪ねてきました。話を聞くと、福島民報115周年記念の別刷を11面にわたってディレクションしてくれないかという依頼でした。その数日前に放送されたドキュメンタリー番組「情熱大陸」の箭内道彦密着回を見て僕を知り、ドアをノックしたのだと。

来る仕事は拒まず、去る仕事は追わずのスタンスでがむしゃらに働いていた頃でしたが、「自分には無理です」と即座にお断りをしました。情熱大陸内のワンシーンには、山口隆と組んだユニット「ままどおるズ」の初ライブで、故郷に対する複雑な感情を描いた曲を歌う場面がありました。様々な場で、福島が嫌いと公言をしていた頃です。

「近所の家の悪口や 辛い噂話ばっかり わざと大変ぶるのも もう疲れたよ」（ままどおるズ「福島には帰らない」）、それは自分の中にもまた濃く宿る気質。そのように歌う自分に務まるわけがないと先方に伝えました。すると「そういう人だからこそ、福島を元気にできると思うんです。元気にしてほしいんです」と言って引き下がらない。その情熱に押される形で引き受けた仕事でした。

故郷を手放しで賞賛することはできないけれど、悶々(もんもん)としていた昔の自分のような若者に手紙を書くことであればもしかしたらできるかもしれないと取り組みました。背を向け、逃げていた故郷に、正面から向き合わざるを得ない日々が始まりました。

掲げたコピーは「207万人の天才。」。207万人は、2007年当時の福島県の総人口です(2022年現在の人口は185万人を切っています)。福島県民一人ひとりが、みんな何かの天才なんだ、「天才」は数学者や大リーガーだけのものじゃない、笑顔の天才、優しさの天才、郷土料理のいかにんじんをつくる天才――どんなことでもいい、自分の中にある「天才」に気づいてそれを誇りましょうよと、紙面から呼びかけました。

福島の人は遠慮深すぎたり、引っ込み思案な面がたしかにあります。それは出身者であるがゆえに身に染みていた県民性です。テレビ番組の「秘密のケンミンSHOW」でも「日本で一番、会議で積極的に発言をしない県」、何か意見があれば会議が終わったあとにこっそりと担当に伝えるのが福島流なのだと紹介されていました。カチンと来ましたが自分自身の中に思い当たるフシがあることは否めません。

謙虚は美徳です。だけど、大事な場面で言いたいことが言えずに逃してしまう展開もある。もったいないです。言いたいことが言えないと、つい内輪での陰口で発散ということにもなりかねない。「207万人の天才。」が、そのことを考え、行動が変容するきっかけになれたらと、紙面をつくりました。

新聞は個人的に思い入れのあるメディアです。中学・高校時代、アルバイトで新聞配達をしていました。ギターが買いたくて、雪の日もどしゃ降りの日も期末試験の日も。途中「福島民報」から「福島民友」に電撃移籍。毎朝顔を合わせるライバル販売店のおじさんに気に入られ「月給いくらもらってる? うちに来たら倍出すよ」と引き抜かれて(笑)。インターネットの時代と言われてもうずいぶん経ちますが、毎日同じ時刻に人が人に届ける紙の温もり、めくる音と匂い、そこに広げられた思いと世界、ともに迎える新しい朝。新聞にしかできないことはまだたくさん、あると思います。

「207万人の天才。」が掲載された紙面に感銘を受けたと、その年の郡山でのままどおるズのライブを訪ねてきた人物がいました。内堀福島県副知事(当時)です。ニコニコと穏やかに「あの新聞、本当に素晴らしいです」と言うその声に、僕は無愛想に対応したのをよく覚えています。「役人とか行政、そういう存在に反抗するのがロックだろう?」「県の偉いさんだからといって、いきなり楽屋に入ってくるってどうなんだ?」と半分ムカついて、ちゃんとした挨拶もしないまま「副知事? ああ、そうですか」とぶっきらぼうな口の利き方をします。僕よりひと回り年の若い相方の山口隆に「箭内さん、そういう対応は大人げないよ。わざわざ来てくれた相手に失礼だよ」と諭されたほど。ロックの意味を青く履き違えていた頃です。

内堀さんは僕と同い年。長野県出身で総務省から県に出向し、二代の知事を部長、副知事として支え、とても頼りにされていました。そんな背景はまだ知る由もない初対面でしたが、「207万人の天才。」に肌感覚として深く共感をしたという思いだけは強く伝わってきました。

翌々年、「風とロックFES福島」という音楽イベントを郡山市の野外音楽堂で開いた際も、休みを使って会場に足を運んでくれました。初対面の印象はよくなかったのですが、観客席の一番後ろでリズムに乗って身体を揺らしている姿や、お役所的でない物腰に徐々に共鳴が起き、やがてある種、友人とも言えるような存在になっていきます。

そんな時間の中で、自分と故郷の距離と関係も少しずつ変わっていきました。遠慮を言い訳にして結局何もしないような、自分のダメなところ、できないことを、全部福島のせいにしていた自身に気がつきだします。ままどおるズが「福島に生まれなかったら僕は」という曲を新たに書いたのは2009年。不要なコンプレックスとなんとか折り合いをつけようとしながら歌った歌です。

福島を元気にしてくれと言われて作った「207万人の天才。」は、殻を破れずにいた若い頃の自分への檄（げき）でもありました。

風とロックとふるさと

LIVE

LIVE 福島 風とロック

SUPER 野馬追

2011年9月14〜19日

撮影：石井麻木

ふるさと嫌いの人が、なぜふるさとの味方になったのか？　私の目から見た箭内道彦とはどういう人物か？　ブランドづくりの要(かなめ)は人。クリエイティブディレクターの「個」や「人間性」に左右されると言っても過言ではない。そこでその人物像を伝えるべく、少し昔話をしてみたい。

箭内道彦は福島県郡山市の出身。東京藝術大学を卒業後、広告会社の博報堂に入社している。タワーレコードの「NO MUSIC, NO LIFE.」ほかのキャンペーンで注目を集めるようになり２００３年独立、「風とロック」を立ち上げる。

とある広告クリエイティブ雑誌の編集者だった私が彼に出会ったのは、その少し前の頃だ。

資生堂ｕｎｏの「お笑い芸人シリーズ」やパルコのキャンペーン、「きっかけは、フジテレビ」、異業種５社によるコラボ企画「ルーレットＣＭ」、森永製菓「ハイチュウ」など、話題の広告を次々に連打する注目のクリエイター、箭内に取材する機会が増えていった。

金髪にカラフルな服。その風体が示すかのように、箭内の企画は一風変わったものが多かった。手がけた資生堂ｕｎｏの第1弾シリーズは、見た目冴えないお笑い芸人たちが男性用コスメでカッコよく変身、一発ギャグをアドリブで披露するというもの。

それだけなら普通に面白いＣＭかもしれないが、若手からベテランまでの芸人50人以上を起用し、それぞれのバージョンを制作、それらをひと晩で一挙オンエアしてギネス世界記録を狙うという。

こんな企画もあった。

ある外資系自動車メーカーのＣＭでは、新幹線の車窓から見える田んぼで、その企業の社長本人が女性タレントと一緒に手を振っている。その姿を高速で移動する車内から一瞬クローズアップで捉えたかと思うと、ロゴが出てＣＭはいきなり終了。商品についての説明はほとんどない。

この企業はまだ日本でのビジネスを始めたばかりで、ブランドの知名度が低かった。そこでクルマのスペックやデザインを訴求するのではなく、まずはブランド名を視聴者の記憶に残そうという狙いだったのだろう。それにしても大胆な企画だ。

企画が攻めているだけではない。一緒に組む出演者やスタッフもとんがっている。レジェンド級の著名ミュージシャンや俳優を起用したかと思うと、まだ業界でもあまり知られていないが、キレキレの感覚を持つ若手映像クリエイターに演出を依頼する。ときには是枝裕和のような、広告とは畑違いの監督を起用することもあった。箭内自身が企画と演出の双方を兼ねることもある。

神出鬼没で融通無碍(むげ)。常にギリギリのところを攻めていくクリエイターという印象だった。そのマインドは「風とロック」というキャッチーなネーミングに体現されていた。手がけるキャンペーンもさることながら発する言葉が面白い。編集者になってまだ数年の私には、毎回のインタビューが刺激的だった。従来の広告の枠組みを揺さぶり、新しい時代をクリエイトしようという意気込みも伝わってきた。

広告以外の幅広い活動も興味深いと感じた。自費でフリーペーパー「月刊風とロック」を発行し、毎号好きなミュージシャンやタレントを特集。原宿にあった最初のオフィスを訪問すると、なぜかTシャツやキャップなどオリジナルの服やグッズを販売していた。聞けばこのオフィスはショップ兼イベントスペースなのだという。意味がわからなくて面白い。別の仕事場にはギターが置かれていた。

木村カエラにリリー・フランキー、銀杏BOYZやサンボマスターら人気アーティストが出演するライブ「風とロックFES」ほかのイベントも盛んにプロデュース。広告業界を盛り上げようと原宿で3日間にわたって開催した「広告サミット」（2005年）は、参加者のべ1万人を超える大がかりなものとなった。テレビ・ラジオ番組等でのパーソナリティとしての活躍も始まっていた。

2006年春、私は雑誌で1冊まるごと「箭内道彦特集」を組もうと考えた。旬のクリエイターを遅すぎず、早すぎず、しかるべきタイミングでピックアップする大型の特集企画は、その雑誌の名物だった。

だが、企画には当初、懸念の声も出た。箭内は活動の幅があまりに広いため、「広告クリエイター」としてどう捉えればいいのかわからないという意見である。特集ともなれば50ページ以上の誌面を割くことになる。「説得力のある構成にできるのか？」という疑問が呈されたのだ。

私は一計を案じた。「既存の広告手法の行き詰まりが言われる中、行動することで壁を突破していく箭内さんのやり方は新しいと思います。あの活動のすべてが現代的な〝広告〟と言えるんじゃないでしょうか？」。こんな流暢な言い方ではないが、おおむねこのロジックで企画を通した記憶がある。

このとき私が言いたかったのは、箭内はある種の〝インフルエンサー〟だということ。当時、そんな言葉はまだなかったが、その元祖的存在かもしれない。彼の行く先々にポジティブな風が吹く。「伝わる」が連鎖していく。広告がアナログからデジタルへ移行していく時代の変革期に出現した〝風来坊〟。そんな言い方もしっくりきそうだ。

業界のゲームチェンジャーとして出現した箭内道彦の表現作法や仕事への向き合い方をビビッドに伝えるためには、完成した広告を評論するだけでなく、クリエイターの行動に迫り、ものづくりのプロセスにふれる必要がある。

そう考えた私は5月のおおよそ1カ月間、打ち合わせから撮影・編集、テレビ番組の収録など、付き人のように彼の仕事の現場に密着し、誌面でドキュメントすることにした。

取材対象に〝一体化〟しそうなほど肉薄する。そのことで見えてくる風景もあるのでは？これは新しい批評のスタイルかもしれない。そんな思惑だった。

インタビューもロケバスの中や番組収録前の待ち時間に控室で行う。こちらの質問に対して入念に準備された答えではなく、その場の空気の中で発せられるライブ感のあるコメントを狙った。毎回雑談から始めてキーワードを探り、それが見つかったところで深掘りするスタイルである。その方法には箭内からの賛同も得て、充実した取材となった。

だが、こんなひと幕もあった。話の中で「地元」という言葉が出て、それをキーワードに話し始めたとき、私は出身地である福島について尋ねようとしていた。クリエイターが幼少時代、どんな環境で過ごしたのかは重要な深掘りテーマだからだ。

するとなんだか歯切れが悪くなった。箭内は自分にとっての地元は「原宿」だと言い張る。ふるさとではなく、「東京」が好きなのだという。

彼はこのように言葉を微妙にスライドさせていくことが巧みだ。「地元」という言葉の響きからちょっと予想を裏切る「原宿」へとイメージを置き換え、その流れの中で「東京」まで語れてしまう。

しかし、このままでは取材対象に迫りきれない気がした。もう少し〝深イイ話〟があるのでは？ 原宿や東京が好きというエピソードはすでに何度か聞いている。私は一歩踏み込むことにした。

「でも、実家のある郡山も箭内さんにとっての〝地元〟と言えますよね？」

そこまで聞かれると隠さない人だ。筋金入りのサービス精神がある。「福島のこと？ どうだろう……」と言いながらも、実家にはあまり帰らないこと、藝大3浪時代に1年家業のお菓子屋を手伝っていたこと、商売は順調ではなかったこと、入社1年目に父を亡くして苦労したことなどを、笑いのエピソードも交えながら話してくれた。一部、引用してみたい。

父親は商売は上手くなかったんですけど、ひとつだけすげーなって思ったのは、お客さんが、このお菓子買おうかなって迷ってると、店番してる親父が、「ああ、それ、おいしくないっすよ」って言うんですよ。そう言ったあとは必ず、そのお客さんは百パーセントこっちのペースになる。「じゃあどれがおいしいんですか？」って聞くんです。すると親父は「好みがあるかもしれないですけど、私なんかはこれがうまいと思います」って言う。すると絶対その人はそれ買うんですね。お客の反応を見ながらのコミュニケーション。そういう〝小売り感覚〟みたいなものって、僕にもかなりありますね。

（雑誌「広告批評」2006年6・7月合併号「特集　箭内道彦――風とロック&広告」より）

ふるさとは「嫌い」だと言う。それを公言しながらも、好き嫌いのレベルで処理しきれないこじらせた感情を抱いているようだった。

その内面は箭内というクリエイターの出発点であり、大きな原動力であると思われる。その一方で極めて個人的な心情でもある。いま思えばクライアントのいる〝広告〟という表現の場では、昇華しづらいメンタリティだったのかもしれない。

私は誌面の見開きに、「地元〝原宿〟」と「もうひとつの地元」のふたつの小見出しを対置させてインタビューを構成した。風は東京でロックは福島、そんな対比のイメージだった。

この特集号がリリースされた数カ月後、箭内は山口隆と「ままどおるズ」という音楽ユニットを組む。そして「福島には帰らない」という楽曲を発表した。２００８年には同じく福島出身である松田晋二（THE BACK HORN）と「ゆべしス」というアートユニットを結成している。

「ままどおる」や「ゆべし」はだれもが知る福島の銘菓。お菓子がバンド名になっているところにルーツを感じる。

さらに翌年の２００９年、福島にゆかりのミュージシャンを中心として「２０７万人の天才。風とロックＦＥＳ福島」を福島民報社と共同主催している。この音楽イベントは名称を変えながら「風とロック芋煮会」として定着、現在も続く名物フェスとなった。

広告づくりや「トップランナー」（ＮＨＫ）のＭＣなどテレビの仕事も続けながら、音楽とふるさとの活動に入れ込んでいく箭内に対して、「何をやりたいのかよくわからない」と訝しがる広告業界人もいたかもしれない。

なぜジャンルを横断した活動を行うのか？　音楽やＭＣなどの〝複業〟は広告の仕事にどうつながってくるのか？　そんな関心から当時（２０１０年）、私が携わっていた社会人向けの企画スクールで、「７つの顔を持つクリエイター」というタイトルでレクチャーしてもらったこともある。

それからしばらくたった頃、東日本大震災が起こった。

いてもたってもいられなかったです。さんざん福島の悪口を言っていた人間が、ふるさとが大怪我をしたときに何もできないなんてダメすぎだなと。

3月11日金曜の夜、とにかくどうにかして福島に向かおうと、福島民報の沢井正樹さん（2007年にノーアポで事務所を訪ねてきた人物）に連絡を取りました。「まだその時期ではないです。被災の現場は混乱しています。いま来られても食事を新たに一人分多く用意することのほうが大変です」と断られました。2009年の「風とロックFES福島」のトップバッターを託したロックバンド・怒髪天の増子直純さんには、「箭内さんがいま東京を離れたら、だれが東京から福島を支える陣頭指揮を執るんですか！」と止められました。二人とも、現在もかけがえのない盟友です。

「自分に何ができるだろう」、繰り返し繰り返しそれだけを問い続けました。甚大な被害の状況が少しずつ明らかになってゆく中、12日土曜に予定されていた僕の仕事、結婚情報誌「ゼクシィ」のCM撮影は中止になりました。マスメディアはテレビ局もラジオ局もレギュラー番組をすべて飛ばして終日特別編成。毎週土曜深夜に全国のFMで放送されている僕の番組「ラジオ風とロック」も、もちろん休止と連絡がありました。そんななか、SNSに投稿されたリスナーからの呟きが目に留まりました。「番組がお休みだと箭内さんは何も発信しないのか」と。

ハッとしました。この一言からすべてが動いたと言っても過言ではなかったです。スイッチが入りました。僕の背中を強く押したあのときのリスナー、ラジオの持つつなぐ力のすごさを感じました。

翌日から連日、僕の事務所からの生配信を始めました。節電に留意しながら配信の中で仲間のミュージシャンたちと全国の視聴者と、無力感も含めて共有しながら、自分たちにできることをみんなで考えようとしたんです。

内堀さんの顔が浮かびました。内堀さんはその頃、副知事として東京電力福島第一原子力発電所のある大熊町に入り、不眠不休で事故対応の現場指揮を執っていました。日に日に事態が悪化し、今後の見通しがつかないまま情報が錯綜していて、「今日また爆発が起きるんじゃないか」という恐怖と緊迫の最前線で闘っていました。

想像を絶する状況の下で、内堀さんと僕のメールでのやりとりが始まりました。だれにも言えぬ心の内を率直に伝えてくれる内堀さんに、僕からの敬意と謝意を返すことで少しだけでも間接的に福島の力になれたらと、魂の対話と言ってもいい往復書簡が続きました。

義援金の確実な窓口を知りたいとの僕の問いに、「福島県災害対策本部」とその担当者を内堀さんに紹介いただきました。僕は長年自主的に発行しているフリーペーパー「月刊風とロック」3月号の発行を中止、その全費用と、クルマを買うために用意していたお金を、県災害対策本部にすぐに振り込みました。まだまだ足りないと感じ、銀行に1億の融資を談判しに行きましたが「担保もなく寄付を使途とする貸付はできない」と断られます。

そんな中、前年の夏に福島県出身のミュージシャンたち3人と結成した「猪苗代湖ズ」が。震災の半年前に作っていた曲を販売してその売上を全部福島に渡そうと、メンバーである山口隆の発案で急遽録音することになります。

計画停電のない名古屋の小さなスタジオに猪苗代湖ズが向かったのは3月17日。3月20日、レコーディングした音源をジャンパーのポケットの中で握り、僕は新幹線で東京に戻り半蔵門のTOKYO FMへ。特別編成が続く中、生放送で「I love you & I need you ふくしま」をオンエア、リリースをしました。3月中はこの歌のプロモーションに奔走、メディアにお願いしたり、ミュージックビデオを作ったり、各所の許可を取ったり、とにかく一人でも多くの人に届くようにと、自分にあった伝手を全部つなぎました。

レコード会社やマネジメント事務所に所属していないバンドです。「ギタリスト兼プロモーション担当」としてとにかく一人で動きました。猪苗代湖ズを知ってもらって福島へのお金を生むために、僕自身が広告の仕事で培ってきた、それこそブランディングの全スキルと全人脈をここに注ぎました。今できること、東京からできることを最大にと。

並行して、延期になっていたゼクシィ「Get Old with Me.」のCM制作。樹木希林さんと内田裕也さんご夫婦の撮影再開に向けての準備が始まります。当時のテレビは各企業が自粛をして、ACのCMが繰り返し流れていました。ゼクシィは食料にも水にも温かな毛布にもなることはできない、だけどゼクシィがつなぐ「人と人」もまた、強いライフラインなのだと、そう考えました。福山雅治さんが震災の直後に書き下ろしてくれた曲「家族になろうよ」とともに。

福島に入ったのは4月2日。僕が広告を担当する各企業からいただいた物資を大型トラックに積んで県内5カ所の避難所に向かいました。「I love you & I need you ふくしま」のミュージックビデオも携え、避難所のテレビで見ていただきました。音楽という支援が不要なのか必要なのか、そのことを直接聞いて確かめたいという思いもありました。相手のいらないものを手渡すのは支援ではありません。腕時計としてつけていたガイガーカウンターが道中何度も鳴りました。

避難所を訪ね、様々な方々と話す中で一番必要と感じたものは「約束」でした。いつ自宅に帰れるのか、いつ原発が収まるのか、一体どんな未来が待っているのか、だれも何ひとつ約束してくれなかった中で、大きな約束をひとつしてそれを確実に実現実行する、そのことが必要だと強く感じました。避難所から避難所への移動の途中で、ゆべしスのTwitterアカウントから、9月に3万人規模のロックフェスを、県内5カ所を移動しながら開催することを、僕は半ば衝動的に、だれにも相談せずにツイートしました。

それが震災から半年後の福島県を、西から東へ移動しながら開催する6日間のロックフェス「LIVE福島 風とロック SUPER野馬追」です。奥会津、会津若松、猪苗代、郡山、相馬、いわきの6会場に、若者だけでなく、様々な世代の人たちが集まり、拳を上げ、大きな声で笑い、涙を流し、時をともにして歌いました。

「こんな時期に福島に人を集めて音楽イベントをやるなんて」と賛否の入り交じる中、線量を計測しながら会場を慎重に選定するなど、できる対策はすべて講じての開催。世界に生配信した動画の視聴が過去最高数であったことをイベントのメディア支援を申し出てくれたGoogle社の方々に聞かされました。「LIVE福島がなかったら、今の自分はない」「負けずに生きていこうと思った」など、いくつもの声をその後もらいました。

2011年の自分は47歳。もし10年若かったら何もできなかったと思います。人との出会いも、故郷との関係も。運命という言葉は使いたくはありませんが、2007年に「207万人の天才。」が生まれたこと、故郷との正面からの向き合いがそこから始まったこと、ままどおるズやゆべしスを経て猪苗代湖ズが2010年に結成されていたこと、「I love you & I need you ふくしま」の原曲が震災の半年前にすでにあったこと、広告の技術を体得する武者修行を20年積んでいたこと、「LIVE福島 風とロック SUPER野馬追」に駆けつけてくれた福山さんや裕也さんや長澤まさみさん、ほかにもたくさんのアーティストたちと広告の仕事で出会えていたこと、イベントをともに形にした福島民報の沢井正樹や当時博報堂にいた総合プロデューサー平井真央とのつながり、ほかにも力を重ねたすべての人たちとの連帯。言葉が適切かどうかはわかりませんが、たどればたくさんの伏線が2011年から今日までのためにあったことは紛れのない事実です。

そしてその年の大晦日の紅白歌合戦を、最大の発信の場のひとつであると僕は考えていました。猪苗代湖ズへのオファーが来るずっと以前の5月から、メンバーには12月31日のスケジュールを絶対に空けておくようにと伝えていました。とても大きな視聴率を持つその枠は、広告代理店にいくらお金を渡しても買うことはできません。

本番、歌唱前に、今夜はどんな思いで歌ってくださいますかと尋ねてくれた司会の嵐の相葉さん、僕は台本にない答えを用意しました。「あと何時間かで、新しい年がやってきますけど、まだなんにも終わってないんですよ。本当に悔しい思いでいっぱいです。今日は、福島のことを忘れてもらわないために、みんなで歌いに来ました」と。大晦日の和やかな祝祭感に水を差したような感覚を自分の肌に感じました。当時の首相が原発は収束したと宣言をしたあの頃です。

福島県災害対策本部への義援金は、楽曲と音楽フェスの全収益を合わせ、紅白歌合戦を経た年明けには目標だった1億円を超えました。たくさんの皆さまからのご支援に、心から感謝をいたします。

番組MCを務める「福島をずっと見ているTV」（NHK）がスタートしたのが2011年6月。この3月の放送で101回を数えました。

音楽の力を届ける活動は翌年以降も続きます。広島や長崎、沖縄、神戸といった過去に大きな困難と向き合ってきた土地を訪ね先輩方から乗り越える知恵を学び、福島にフィードバックしようと開催した2013年のツアー「風とロックLIVE福島CARAVAN日本」は、全国から福島にいただいたたくさんの支援への感謝を伝えに行く旅でもありました。毎回ゲストミュージシャンと一緒に福島県内59市町村をめぐるラジオ福島の公開生番組「風とロック CARAVAN福島」は、その直後に始まり現在に至ります。2009年に始まった毎年秋の風とロックのイベントは、「風とロック芋煮会」としてコロナ禍のオンライン開催を経て「宇宙で一番楽しい福島の一日」を掲げ続けています。

苦しくなかったと言えば嘘になるかもしれません。すべて勝手に始めたことですが、「一度故郷に背を向けた人間だろ」「だったら原発の隣に住んでみろ」「髪を黒く染めて出直してこい」「震災乞食」「売名」「人殺し」……。自分に対する様々な声がいくつも聞こえました。それでもだれかの力になれるのなら構わないと、3年続けた頃初めてやっと、「許してやる」と少しだけ言ってもらえた気がしました。

LIVE福島、猪苗代湖ズ、風とロック、福島をずっと見ているTV……。のちに県の側でクリエイティブディレクターとして動く自分のことなど、もちろん想像すらしていなかった頃のことです。

震災発生直後から箭内道彦の動きを見ていた人がいる。テレビ番組ディレクターの小川謙治だ。当時の緊迫した状況について小川はこう証言する。

「3月11日の翌日だったと思います。箭内さんにメールしたのは。で、『何か手伝えることがあったら言ってください』と伝えたところ、またその翌日に、『Ustreamで生配信を始めたいんだけど、手伝ってくれる?』と。それで13日から事務所に毎日通うようになりました。節電が呼びかけられていましたから、配信はお昼の時間帯でしたね。

配信は1週間くらい毎日続けました。ほとんど箭内さんの原宿のオフィスにいたんじゃないかと思います。配信が終わってからもずっといて、箭内さんや松田(晋二)さん、風とロックのスタッフの皆さんと、明日は何をすべきかを話し合ったりしていて」

小川へのインタビューは、新型コロナが何度目かの猛威を振るう中、リモートで行われた。モニター越しにいまだ生々しい当時の記憶が伝わってくる。

「探り探りの配信でした。最初は箭内さんも何をやっていいかわからないと言っていたんです。しばらくは現地に入ることもできませんでしたから。

当時、テレビは報道番組一色で、音楽を配信することに対する戸惑いもありました。ただ、確かサンボマスターの山口さんだったと思うんですけど、彼が『もう我慢できない！』みたいな感じで歌い始めたんです。

そしたら、見ている人たちから『心が安らいだ』というコメントがたくさん来て、むしろこういうものが足りないんだと、みんなが気づけた瞬間があって。そこから『I love you & I need you ふくしま』をチャリティの歌にしようって話になっていったんじゃなかったかな？」

小川はフリーランスのディレクターとして、「福島をずっと見ているTV」ほか箭内道彦が出演、MCを務める番組にいくつか携わってきた。箭内が「トップランナー」の司会になる以前、同番組にゲスト出演した回（２００６年）を演出したことが縁となった。初対面の印象をこう語る。

「最初は打ち解けた感じでもなかったんですけどね。仕事の話はしてくれるんですけど、自分のエピソード、特に過去の話になると遠慮がちというか。『トップランナー』は、その人のヒストリーも話してもらわないといけない番組ですから、『いろいろ聞いても語ってくれないなあ……』なんて思ったくらいで」

だが、人そして、仕事の縁というものはわからない。小川は次第に箭内の活動を追うことになる。2009年の「2007万人の天才。風とロックFES福島」も取材、このとき初めて福島を訪れたという。

「ステージに登場した箭内さんが、『大嫌いなんだ福島が！』と歌う姿にキュンとしたことを覚えています。言葉では〝大嫌い〟と言いながらも、〝大好き〟と歌っているように見えたんです。そのネジ曲がった感じというか（笑）、相反する気持ちを表現できるのが魅力的だと思いましたね」

2010年、新たに4人の福島県出身ミュージシャンで結成された猪苗代湖ズの楽曲「アイラブユーベイビー 福島」が誕生する瞬間にも、2011年3月名古屋での「I love you & I need you ふくしま」の録音にも立ち会ったそうだ。震災の年の年末、彼らが「紅白歌合戦」に出場したときにも歌った曲だ。

震災は小川の仕事も一変させた。

2011年3月で「トップランナー」の番組終了が決まっており、次の仕事の準備に入ろうとした矢先に生じた未曾有の災害。小川はいったんすべての予定をキャンセルして、箭内たちのネット生配信を手伝ったり、レコーディングに同行したり、避難所をめぐったりの日々を過ごすことになる。「福島をずっと見ているＴＶ」に携わって最初の１～２年、月の半分くらいは福島に滞在していたという。

この番組が生まれた経緯はこうだ。

震災後の猪苗代湖ズの活動などを紹介する特別番組「応援ソングを高らかに」が４月末にオンエアされた。それを見た「青春リアル」という番組のプロデューサーから、この特番に携わった小川に、月イチで一緒に番組をやらないかと声がかかったという。

そのプロデューサーは神戸出身。阪神・淡路大震災の際にテレビ局の無力さを痛感し、「今回は福島のために何かしたいんだ」という思いがあったという。

当初は「青春リアル」の特別シリーズとしてスタートした「福島をずっと見ているＴＶ」は、オンエア１００回を超えるシリーズとなった。

その初回のタイトルは「『故郷の〝広告〟、はじめます。』from 箭内道彦」（２０１１年６月３日放送）というもの。箭内が立ち寄った居酒屋で出会った学校の先生や、米をつくっても買ってもらえるのか悩む農家の声を紹介している。

県のクリエイティブディレクターに就任する４年前だが、番組でも当初から「ふるさと」

と「広告」がキーワードになっていた。

毎回のテーマは避難生活や原発事故が暮らしにもたらした影響、震災の記憶の風化など様々だ。ミュージシャンや若者たちの復興支援にフォーカスする回があれば、福島第一原子力発電所に入った箭内が作業員にインタビューする回もあった。だが、小川たちチームが一貫して届けようとしてきたのは、福島で生活する人々のリアルな声だ。

小川自身が演出した回の中で、特に印象に残っているものを尋ねると、17回目に放送された「〝フクシマ〟と書かれてもしかたないのでしょうか?」（2012年10月4日放送）のエピソードを話してくれた。

これは当時、活発に行われていた官邸前の反原発デモを訪れた福島の一人の青年のドキュメント。大きな反響を呼ぶ放送となった。小川はこう振り返る。

「デモで使われるプラカードなどに、福島に暮らす人から見るとつらい思いになりそうな言葉が並んでいたんです。たとえば、『フクシマ返せ』といった、ちょっと心ない言葉があふれていました」

福島を「フクシマ」と表記することへの違和感は、多くの人が表明している。しかし、史上類を見ない悲劇の地といったイメージを強調するために、この表記を用いる人もいる。

人たちにとって、こうした言葉は虚ろに響く。

「返せ」というのはすでに失われたということを暗に示す。しかし、そこで暮らしている人たちにとって、こうした言葉は虚ろに響く。

「反原発の主張を伝えるためには仕方のない部分もあったかもしれません。でも、福島の人たちの気持ちをあまり考えないで、外の人たちが声高にそれを叫ぶのは本末転倒じゃないの？　という思いもあって、福島の若者と一緒に取材に行ってみたんです。

そしたら彼も、そこでなんかモヤモヤしたみたいで、『僕、ちょっと話してきていいですか？』って言って、演台みたいなところで思いを語ったんですよね。こういう運動には賛同する部分もあるけど、福島を〝汚染された可哀想な町〟と決めつけて語るのはどうなんだろう？　って。

で、そのシーンを番組で放送したら、ネットで叩かれたんです。『ＮＨＫは国策を推進するために、こういう番組を流してるのか？』という意見が出て。

ところが、ネットの感想をつぶさに見るとデモの中心的なメンバーの人たちの中に、『あいうふうに放送されたことは悔しいけど、我々も学ぶところがあったよね』という趣旨のコメントをしている人も何人かいて、その中の一人に連絡を取ってみたんですよ。そしたらすごく真面目な若者で、世の中をよくしたいと思って活動しているんだけど、『福島の人たちの中に、そう感じる人もいることに気づかなかった』と言ってくれて。それで、対話の場を持とうということになり、反原連（首都圏反原発連合）の人とデモでスピーチした若者、福島で暮らしているお母さんらが、箭内さんの司会で話し合いをする続編をつくったんです。それから1カ月くらいして、もう一回、デモの取材に行ったら、プラカードから『フクシマ』の文字が消えていて。もう鳥肌が立ちましたよね。

ここは箭内さんも重視されてると思いますが、意見の対立があっても、相手を傷つけようと思ってるんじゃないんだから、一度冷静に考えて認め合っていこうよ、というスタンスが大切だと思っていて。番組を通してそれが実現できたのかなと思うと、個人的には特に意義ある回だったと思っています」

小川は基本、取材は一人で行いカメラも自分で回しているという。話は彼の演出論に及んだ。

「僕の場合は、世の中にこういう問題があるからこういう人を撮りたいというより、人と会うことが最初にあって、偶然会った人たちの中からこういう人を取り上げたいな、という感じで取材に入っていくことが多いですね。

取材が終わってからも、カメラを持たずに会いに行く人たちもいます。震災の年に思ったんですよね。取材のために来てるって思わせちゃうのは申し訳ないなって。仕事を超えた部分でも付き合いたいなと。

『福島をずっと見ているTV』だと最近は、震災が起きてすぐの頃に出会った人たちが、いまどうしているか？　10年以上たっての変化を伝えることに関心が向いています。特に若い人たち、震災の頃、学生だった人たちの近況が気になって、会いに行ったりしてますね。とても前向きに生きている人が多いんです。清々しさ、力強さを感じます」

この人もまた〝風とロック〟な表現者の一人なのかもしれない。

2022年9月中旬。私は取材のため福島県白河市・しらさかの森スポーツ公園で開催された「風とロック芋煮会2022 風とロックイモニー号」の会場にいた。パンデミックの影響でリアル開催は3年ぶり。感染防止対策のため、参加者数を3000人に限定しての実施となった。

それでも野外フェスは活気がある。「白河ろっくんろーる横丁」と名付けられたスペースには、餃子や蕎麦に日本酒など地元の名産・名物店の屋台、グッズを売るショップが立ち並び、多くの人が行列している。福島県農産物流通課のテントでは、芋煮をふるまっていた。

この時期の屋外イベントはとにかく日差しが強い。だが、ときおり気持ちいい風が吹く。ステージ下の撮影ブースに小川謙治の姿を見つけた。101回目の「福島をずっと見ているTV」の演出を、彼が手がけるという話は聞いていた（2023年3月11日にオンエア）。その関連の取材だろうか。

軽く挨拶をして撮影の邪魔にならないよう、少し離れた場所に私もポジションを取った。オープニングは箭内と共演者によるトーク。続いて出演バンドによるパフォーマンスが始まると大音響が轟く。

ときおり様子をうかがうと、小川はずっとカメラを回している。カメラ越しにステージを見つめるその姿はなんだか楽しそうだ。私は彼が言ったこんな言葉を思い出していた。

「僕は東京生まれですから。ふるさとがあるのはいいなあって思うんです。憧れますよね。帰れる大切な場所があるなんて」

ふくしまプライド。

ふくしまの
牛
ふくしまプライド。
ふくしまの旬の情報はこちら!
ふくしまプライド。
福島県

ふくしまの
米
ふくしまプライド。
ふくしまの旬の情報はこちら!
ふくしまプライド。
福島県

ふくしま
プライド。
ふくしま
プライド。
ふくしま
プライド。
ふくしま
プライド。
ふくしま
プライド。
ふくしま
プライド。
ふくしま
プライド。
ふくしま
プライド。

「ふくしまプライド。」CM
産地のきもちシリーズ
2022年

「ふくしまプライド。」ロゴ

県クリエイティブディレクター職の打診をいただいたとき、正直言って僕の中には躊躇(ちゅうちょ)もありました。

内堀さんは友人とはいえ、あくまで個人的な関係です。それまで行政の仕事に携わるつもりはまったくなく、むしろ身構えてさえいました。以前からの自分の一連の活動は、すべて勝手に立ち上げ、仲間と力を重ねて実行してきたもの。つねに「民」というスタンスをベースに置き、動いてきました。

ただ、様々な活動のなかで、県や市町村の行政で働く方々と接触する機会も多くあり、職員の皆さんが本当に頑張っていることにも気がついていました。

あれだけの大災害が起きると、住民の不満や批判はどうしても行政に向かいがちです。「助けてくれない」「動きが遅い」「他人事(ひとごと)のようだ」……。住民の皆さんのそういう声が聞こえてくる向こう岸で、僕が出会う行政の人たちはみな必死に動いている。そこに大きな溝が見えてきて、両者にとって何も幸せなことはないと感じるようにもなりました。

不必要な分断が復興の進捗にブレーキをかけてしまう可能性もある。市民と行政がもう少しだけでもともに力を重ね、ともに同じ前を向くことはできないものだろうか。外側からの批判も大事なことではあるけれど、それだけでは最良の施策の実現にはまだ距離がある。

行政という相手と対立するばかりでなく、あえてその懐に入ることでしか変えられないものがあるのではないか。その必要性を痛感してもいました。自分が持つクリエイティブのスキル、人脈、経験、その全部を福島県に捧げることができるのは今なのかもしれないとも考えました。自分が生まれ育った故郷への、それが恩返しにもなるのではないかと。

福島での僕の活動に共感・応援してくれていた人の中には、僕が受諾をすることで、相当がっかりした方もいると思います。「箭内、寝返ったか」「魂売って向こう側に行ったな」というように。だけどそれ以上に、行政が効果的な発信を行うことはとても重要でした。福島への誤解を理解に変えることは、クリエイティブにとって、放置できない急務であると考え、お引き受けしました。


「クリエイティブディレクター」とは一体何か。大きく言うなら、ブランドのコミュニケーションの責任者です。しかし、その定義や方法論、哲学も美学も人により様々です。

余談ですが、20年ほど前に僕がこの肩書きを背負ってすぐの頃、こんなことがありました。あるテレビ番組の収録でご一緒した、プロデューサーの残間里江子さんが僕にこう言ったんです。「箭内さん、あなたの職種は何？　クリエイティブディレクター？　お茶の間には知られてない仕事よね。その肩書きをこれからあなたが有名にしなさい。それがあなたの使命よ」。その言葉はずっと胸にあり続けています。あれからクリエイティブディレクターがどれだけ社会に認知されたかはわかりません。残間さんに会ったら「まだまだね」って言われちゃうかもしれません。

広告代理店に勤めていたとき、ある先輩が僕に「クリエイティブディレクター」を「星を指す仕事」だと説明してくれました。クリエイティブが向かうべき地点を明確に、チームに示し続けなければいけない役目です。腹落ちしました。

もうひとつは、敬愛する故・岡康道さんが話してくれた「メンバーが耳を疑うような指示を出すのがクリエイティブディレクター」というもの。意表を突く角度から課題解決への緒を提示し、目の前の壁を突破できるか、それが使命なのだと岡さんは教えてくれました。

僕もそう思います。たとえばどこかの街の壁の色の塗り替えに「赤がいいか、黄がいいか」で人々の意見が対立しているときに、多数決をしたり、2色を混ぜた橙（だいだい）にするのではなく、「水色もいいですよね」とか「むしろこの壁、いらなくないですか」と、思いも寄らぬ別解を提出するのがクリエイティブの役割です。

その上で僕自身が大事にしているのは、関わるチームのメンバーや出演者たちの力をどうやって最大限に引き出していけるかということ。星を指したり、耳を疑わせたりしながら。それは県の仕事でも同じです。県庁の職員や関わる外部スタッフの力を最大化したいと、いつもそう考えています。

ブランディングを実際に行うにあたって重要なことのひとつは「継続と進化」。予算編成や事業形態の都合で「年度」を区切りにしなければならない県庁にとって、そこは大きな留意点のひとつです。

その意味においてもＴＯＫＩＯが出演する農林水産物の魅力発信事業はまさに重要な位置にあります。２０１６年からは「ふくしまプライド。」というコピーを掲げ、コンセプトからブレることなく、ふくしまの恵みをコミュニケーションし、その効果を今もなお蓄積し続けています。

ＴＯＫＩＯは「ＤＡＳＨ村」の絆もあって、震災後の早い段階から福島の農産物の魅力発信に携わっています。その意味で僕より先輩。思いの深い彼らからの申し出で、一貫してノーギャラでの出演であることを2016年に僕が関わった際に初めて知りました。発信が説得力を持つことができるのは、彼らの存在と行動力があるからこそ。本当に頭が下がります。

「ふくしまプライド。」は、風評に負けずにおいしいものをつくり続けている生産者の方々の熱意と途轍もない努力と技術をひとつの言葉でシンプルに言い切りたい、と開発したコピーです。チームで様々に考えた結果、「誇り」に尽きるという結論に至りました。

「誇り」は、内堀知事との会話の中でも頻繁に出てきていたワードです。「ふくしまプライド。」は、現在では農林水産物キャンペーンの枠を超えて、福島県をPRする様々なシーンで使用されるシンボリックなフレーズになりました。

訴求テーマは毎年の課題に応じて少しずつ変化しますが、貫き続けているコアがあります。それは、県産品のクオリティの高さを伝えること。「食べて応援してください」ではなく、「本当においしいから、よかったら一度食べてみてください」というスタンス。シリーズを通してふくしまの幸の「おいしさ」と「品質の高さ」、そしてそれを実現する生産者の方々の顔が見えるコミュニケーション。

それが「ふくしまプライド。」です。

ここからは福島県による情報発信を追っていきたい。一連のプロジェクトは、クリエイティブディレクターである箭内道彦を中心に、県の大規模な情報発信事業に携わるほかのクリエイターたちとのどのような協働作業を経てつくられているのか？ 関係者の証言を交えてひとつひとつの事例にフォーカスする。

福島県のブランディングには、日本のクリエイティブ界の第一線で活躍するクリエイターたちが参画している。「ふくしまプライド。」のCMプランニングに携わる井村光明（博報堂）もそんな一人だ。井村が最初にこのキャンペーンの担当をしたのは、2017年だったという。

「その年は『TOKIOは言うぞ！』っていうキャッチフレーズのシリーズになったんです。福島産の果物や野菜、お米のおいしさをニュースではなかなかちゃんと言ってくれないから、代わりにTOKIOが言うのはどうだろう？ と。そんな企画でした」

「ふくしまプライド。」の場合、まず大きな前提として、福島の農林水産物の魅力を伝えるという課題がある。その価値への下落圧力として「風評」がある。井村はこの企画が生まれたプロセスを次のように説明する。

「最初は非常に悩みましたよね。まず僕は外部の人間ですから。福島についてあまり知らないんです。浜通り・中通り・会津という3つのエリアに分かれていることも震災まで知らなかったくらいで。

それでこのお仕事をやらせていただくにあたって勉強しようと思い、新聞の記事などを調べたんですけど、結構ネガティブな情報も目にしたんですよね。農林水産物の放射性物質モニタリング検査でも、ほぼ100パーセント基準値をクリアしているのに、そういう情報はあまり大きく取り上げられてなくて。それもあってこの企画を出したんです」

伝えられない福島のポジティブなニュースを、代わってTOKIOが〝報道〟していく。こんな切り口（フレーム）で行けば、シリーズにいろんな情報を盛り込んでいけそうだ。

だが、当初のコンテ通りには進まなかった。

「福島県や箭内さんは、もっと先を見てるんでしょうね。このときは『TOKIOは言うぞ！』っていう大きな考え方はいいけど、コンテのトーンをもっと明るくしたいと。あまり過去に引きずられず、ストレートに野菜のおいしさを言ってほしいというフィードバックをもらいました。こんな感じでひたすら調整を重ねていくこともあるんです」

井村はＣＭプランニングの領域では、日本を代表するトップランナーの一人でありベテランである。

30代以上の人なら、「将軍先生」「革ジャン先生」「激安先生」など、ひと癖ある教師たちが続々登場する「ファンタ」の名物先生ＣＭシリーズを記憶しているかもしれない。より下の世代なら小澤征悦（ゆきよし）の怪演が弾ける「さけるグミ」のコマーシャルを見たことがあるかもしれない。

これらの仕事でＡＣＣ賞やＴＣＣ賞など、国内の主要広告アワードのグランプリを獲得しているだけでなく、カンヌライオンズのような国際クリエイティブフェスティバルでも受賞している井村光明。業界内では、ひとつの企画に徹底的にこだわり抜く職人肌のクリエイターとして著名だ。

その彼をしても、「ふくしまプライド。」は表現のさじ加減が難しいものだった。ＣＭプランナーとしては、インパクトのある企画にするため思い切り振り切りたい。だが、それだと福島県のふるさとブランディングの方向性と少しズレる。「うーん、もうちょっとかなあ……」というリアクションが返ってくる。

「風評」は手ごわい敵だ。求められる解はどこにあるのか。提出期限も迫る中、設定を変え、台詞を変え——井村はコンテをチューニングし続けた。

「最近は気をつけてるんですけど、僕、宵っ張りなんですよね。提出の期日があったら、日付をまたがないうちに送りたい。でも、いろいろ考えてたら過ぎちゃった、みたいなことってあるじゃないですか。

で、箭内さんにも夜中の1時くらいに送って、ふわぁー、（ビールの缶を）プシュッ！　みたいな感じでしばらく映画見て、そろそろ寝ようかな？　と思ったところで、『コンテいま見たけど、もう一丁！』みたいなメールが来てるんです。箭内さん、結構、朝早い人ですからね。心では『来るなよ、来るなよ』と念じてるんですけど（笑）、僕が寝る前に返事が来ちゃう」

井村のコメントにもあったように、「TOKIOは言うぞ！」シリーズは、ニュースが伝えない「ホントの福島！　おいしい福島！」を伝える企画だった。人気のタレントを起用して、福島を好きになってもらえる元気なニュースを発信しようとしている。だが、このCMが興味深いのは「ホントの福島！　おいしい福島！」をポジティブに伝えているところだけではない。ネガティブな出来事をクローズアップすることが多い報道というもののあり方をも考えさせる。つまり〝気づき（批評性）〟がある。

「ニュースなんて暗いもの」という視聴者の先入観を軽く揺さぶり、「もうちょっと明るいニュースがあってもいいんじゃない？（それって伝えられてるの？）」という気持ちにさせる。それは企画の力というものだろう。

広告キャンペーンはテレビCMに目が行きがちだが、「ふくしまプライド。」では、ポスターや店頭ポップなどのグラフィックも重要だ。それを手がけるのがアートディレクターの小杉幸一（onehappy）である。

小杉もまた実力派のクリエイターだ。2019年博報堂から独立してオフィスを構えた。飲料から自動車、航空会社、コスメ、ファッション、ITなど幅広い業種・商品のブランディングを手がける。ポスターからCI（ロゴ）、エディトリアル、店舗、プロダクトまでカバーするデザイン領域も広く、「パルコアラ」（PARCO）など、キャラクターデザインの仕事も。ブランドの声をビジュアルに〝翻訳〟することにこだわりを見せる。

その小杉も福島のメッセージを伝えることの難しさを語った。

「慎重に進めてますね。最初の頃は特に。キャッチーであるとか面白いといった、単に表現上の問題では片付けられない部分がありますから。ビジュアルも言葉もどう受け止められるか、ニュアンスまで丁寧すぎるほど検証しながらつくってるんです。

『ふくしまプライド。』で大事にしているキーワードは〝ぬけぬけしい〟ですかね？『福島県だから応援してね、おいしいから』というスタンスではなく、ぬけぬけと『おいしいんだよ！』と言ってのけるアプローチというのか。

おいしいものに理由はいらないと思うんです。それを押しつけがましくなく、いかに伝えるかが毎回の課題です。キャンペーンのロゴも、県庁の担当の方や箭内さん、井村さんと話し合いながら、その年のテーマを反映しつつアップデートしています」

小杉が言うように、このキャンペーンは毎年のキャッチコピーが変わる。それと同時にロゴのほうもリニューアルされる。ある年は「旗」、ある年は「ハート」というふうにモチーフを変えながら、その中に「ふくしまプライド。」という肝のタイトルが入る仕組みだ。こうしたモチーフの中に、その年のメッセージを表現している。

店頭にディスプレイする小型から駅貼りの大型まで、毎年多数のグラフィックが展開されるが、コピーはどれもシンプル極まりない。「うまいぜ！　ふくしま！」「うまいよ　ふくしまの魚」「ふくしま　桃　果肉がキュッ　美味しいよ」などである。

基本「ふくしま」と「うまい」しか言ってない。これも小杉の言う〝ぬけぬけしさ〟なのだろう。通常の広告表現としては、これはうまいやり方ではない。言葉に創意が感じられないからだ。「どれだけ？　あるいは、どのように？」うまいのかを説得力を持って伝えてなんぼの仕事ではある。

だが、「ふくしまプライド。」では、あえてこのアプローチを採用しているのだという。たしかに「うまい」に理由はいらないだろう。だが、そこに説得力をもたらすには技がいる。毎年のビジュアルが決め手となる。そこが小杉の腕の見せどころだ。

「福島の桃だったり野菜そのものが、すでに〝キャッチコピー〟だと思うんですよね。だから、グラフィックはその素材のよさを活かしながら、元気さだったり、どこか安心できる感覚を出していけるといいなと。

その意味で重視しているのが、まるで地元の人が自分でデザインしているかのような、リアリティを感じられる表現にすること。いい意味でのゆるさやちょっとした遊び心ですよね。デザイナー視点で詰めに詰めた完成度を追求するというより、『福島ならではの佇まいとは何なのか？』をいつも考えています」

井村も小杉も、「ふくしまプライド。」は緊張感の大きい仕事だと口を揃える。そこには成果物への責任はもちろん、毎年、他社との競合になるキャンペーンだからという面もありそうだ。

行政ではオーソドックスなやり方だが、福島県の一連のブランディングに関わる受注先は、プロポーザル方式で選定される。つまり、案件ごとに公募を行い、計画書を提出した事業者から県庁が選考する。井村・小杉のチームも例年コンペから参加している。

箭内は事業者の選考プロセスには関与しない。県庁が選んだ県内外の広告会社などと案件ごとに仕事を進めていく仕組みだ。同一案件でこれまで実績を重ねていたとしても、次も選ばれる保証はない。

だが、こうした条件だけが緊張感の理由ではない。あらゆる仕事につきものだが、長く継続するキャンペーンでは、想定外の事態に見舞われることもある。

「TOKYO 2020」(オリンピック・パラリンピック)の延期もそのひとつだ。井村は言う。

「2020年は海外からのビジターに向けて、福島への訪問を促すキャンペーンを考えていたんです。そもそもオリンピックは、開会式の前日に福島で行われる野球から始まることになってました。五輪は福島の食材の安全性を国内外にアピールするチャンスでした。

GAPという農家への認証制度があるんです。食品の安全や環境保全などに関して、ある基準をクリアしている生産者等が認証される仕組みで、国際的なイベントや会議に食材を提供するには、その認証が必要です。福島県はこの認証の取得を促す取り組みに力を入れてまして、オリンピックで食材が提供されているということを海外の方向けに伝える企画を用意していました」

しかし、この企画は幻に終わった。こうしたハードルを乗り越えながらも、「ふくしまプライド。」は続いてきた。直近で言うと、2022年には「産地のきもち」というキャッチフレーズで4タイプのコマーシャルを展開。「夏野菜篇」と題された1篇では、福島の野菜農家とタレントとのコミカルなやりとりが繰り広げられる。

カウボーイハットをかぶった二人の生産者が、スーパーマーケットでの値札に書かれている産地名の表記の小ささを見て「産地ちっちゃ」「もうちょっと大きいとうれしいよね。福島育ちだからうまいんだもん」と訴える内容。福島産に限らず、「キュウリ」「トマト」といった商品名や値段に比べて、「○○産」の表記はたいていの場合控えめである。

値札の産地名はなぜあんなに小さいのか？　そこがこの企画にある気づきだ。井村によると、こんな方向性で考えたのだという。

「生産者の皆さんの気持ちを、ユーモラスにちょっとだけ本音っぽく語るものです。スーパーの店頭で野菜を見ると、値段は大きく書いてあるけど産地名は小さい。でも、本当は産地で味は違うから、もうちょっと福島産って大きく書いてほしいな、みたいに。見ている人には、そこに〝プライド〟を感じていただきたいわけです。コピーを強化したいと思い、今回から坂本美慧（みさと）という若手のコピーライターにも入ってもらいました」

この企画に関しては箭内さんから、『そうそう、そうなんだよ！』って5年ぶりに最初からいいんじゃないかと言っていただけまして。で、箭内さんに映像の監修もお願いしたら、生産者の方々をヒーローみたいに描くのはどうかということで、カウボーイハットをかぶって、ちょっとウエスタンっぽい音楽になってるんですけど」

CMにも使われるデザインのモチーフはふわふわした「吹き出し」である。今回のポスターには、「うまい」のコピーがない。代わりに果物や野菜の食感を表現する「じゅるりん」「シャクリッ」といった擬音が大きくデザインされている。

井村は「ふくしまプライド。」の仕事を続ける中で、自分自身にも変化があったという。

「若い頃は自分のつくるCMで目立ちたい気持ちも強かったんですけど、年とともに、クライアントさんに喜んでもらいたい気持ちのほうが増していくものなんですよね。『ふくしまプライド。』は特にそのきっかけになったところがあって、僕自身この4〜5年で変われた気がします。

県の担当部署的には農産物流通課がメインなんですけど、そこの歴代担当課長がなぜか本当にいい方ばっかりなんですよ。福島は都道府県の中では日本で３番目に大きいんだ、といった基本情報から教えてくれたり。関東で言うと千葉・東京・神奈川・埼玉を足したくらいのサイズなんですよね。あと、思っていた以上に農産物大国なんだなと。僕の中で北海道みたいなイメージに変わったというか。

そうやっていろんなことを学ぶと、福島の農産物の価格がなかなか回復しないのはなんでだ？　なんて思えてきて。だから、企画の実現にいろいろなハードルがあったとしても、県庁さんにはできるだけ丁寧に説明したいし、喜んでもらいたいと思うんですよね」

「ふくしまプライド。」の仕事にやりがいと手応えを感じている一方、井村はずっと感じてきた課題についても言及した。

「この仕事に携わらせていただいた当初から思っていることなんですけど、東京に住んでいると、福島の農産物っていまだ身近な場所で手軽に入手できないんですよね。もちろん物産館には置いてありますし、仕入れているスーパーもあるんですけど、僕の家や会社の近所のスーパーでは見かけないんです。『福島産』と書かれた野菜などは。

そこは悩ましいですね。東京で「ふくしまプライド。」のＣＭを見てくれた人に、『おいしそうだ』と思っていただけたとして、ないものは買えませんから、広告のつくり手としては目標をどこに置くかが難しくて。そこは試行錯誤していくしかないんですけど、少なくとも僕としては『福島は農産物がすごいんだ』ということであったり、3つの地域で気候もかなり異なるから、『いろんなものが獲れるんだ』というイメージを伝えていきたいんです。そこがCMのゴールじゃないだろうかと思います」

2015年の立ち上げから8年。「ふくしまプライド。」はひとつの広告キャンペーンの枠を超えて、福島県産品を応援するスローガンになっている。福島県は「『ふくしまプライド。』の考え方に賛同し、その趣旨に合致した福島県産品等を広くPRする目的」であれば、だれでもロゴマークを活用できるよう使用基準を制定している。

実際、県内のお店や物産館を訪れると、このロゴやコピーをよく目にする。誇りを持って県産品をつくっていることへのある種〝合言葉〟のようになっている。

公式ウェブサイトも充実している。

「ふくしまのお米やお肉、旬の果物、日本酒」を買える大手ショッピングサイトの特設ページとつなぐ「ふくしまプライド便」のほか、生産者にインタビューした記事や動画などコンテンツが盛りだくさんだ。身近なスーパーで福島県産品を入手しづらくても、いまの時代、オンライン通販なら容易に購入できる。「ふくしまプライド便」は、令和3（2021）年度で、オンラインストアの「売上30億円」に到達している。

公式ウェブサイトのコンテンツの中では、「ふくしまのオンライン銘店」とタイトルされた記事コーナーが気になった。

様々なショップが乱立する通販サイトは競争も激しい。そこで「オンラインストアのコンセプト、サイトの構成や商品販売等において、様々な工夫、取り組みを積極的に行い、大きな成果をあげている」県の事業者に取材して、どのようなやり方で売り上げを伸ばしているのか、ノウハウを読者にシェアしている。事業者の顔が見え、ビジネスへの本気も伝わり、かつ宣伝になるユニークな読みものだ。

ほか「福島の果物が買える直売所の情報」をまとめたコーナーや、生産者と販売者が意見をかわしながら、商品に改良を重ねていくブランド「ふくしま満天堂」も興味深い。

ＣＭやポスターなどの大規模発信だけがブランディングではない。そこを軸に取り組み同士をネットワーキングすることで相乗効果が生まれ、〝地域プライド〟が育まれる。

来て。

・

来て

第二只見川橋梁（三島町）
2022年度フォトコンテスト グランプリ（撮影：高橋 光）

味わって

呑んで

福島県

ふくしま

住んで

福島県公式イメージポスター
「来て。」「呑んで。」「味わって。」
「住んで。」「ふくしま。」
2022年度版

「来て。」2016年度版

行政のクリエイティブは「当たり障りのない」ものが多い。そのことは否めません。実際、依頼する側も制作する側も「この程度でいい」と、あえてそのようにしてきた部分もあるのでしょう。長く続いた暗黙の了解を含めて。

僕が広告代理店にいたとき、行政絡みの案件は若いクリエイターたちがやりたがらない業務でした。だれにも文句を言われない。その代わりだれも喜ばない。目立たないもの、地味なものをあえてつくる、そういうふうにさえ思われていました。

しかし、前例のない大災害を経験した自治体の発信は、従来の話法の流用・焼き直しでは、対応も突破も不可能です。

もちろん血税が使われる事業である以上、公正、公平、そして無駄のない効率は絶対的な大前提です。喜ぶ人がいる一方で、不快に思う人が出るような表現も成立しません。でも慎重になりすぎて、だれの心にも届かない、機能しないクリエイティブをつくることは、それこそ税金を投じる価値を失います。

伝えるべきことを正しくまっすぐに伝えることは重要ですが、多様な発信があふれるこの社会の日常に埋もれない強さは、必要不可欠です。発信におけるコンペティターは、他の自治体ではなく、世の中にあるすべての情報なのです。「行政のわりにはインパクトがあるね」ではなく、企業の広告と並んでも存在感のある情報発信をしていかなければなりません。それが、誤解を理解に変える力になります。

難しい作業ですが、ひとつひとつ丁寧に、都度都度の最適解を見つけ出し、予算とスケジュールの範囲内でそれを実現していくほかはありません。

心がけていることのひとつは「オーバークオリティ」。ふくしまの農林水産物と同じように、熱い思いと高度な技術がぎっしりとそこに詰まって初めて、発信は力を持ちます。「こんなもんでしょ」という発想と着地には絶対にしない。ここも「ふくしまプライド。」です。

2016年に制作した「来て。」のポスター。それ以前はいわゆる観光ポスターでしたが、「福島県公式イメージポスター」と位置付け、現在もシリーズは続いています。「ふくしまプライド。」キャンペーンと同様に、継続がつくるブランディングです。

コピーは「来て。」のたった2文字。福島県内各地の、まるで絵のような写真とともに

来て

福が満開、
福のしま。

レイアウトされています。SNSでは「世界一語彙(ごい)力のないポスター(笑)」と評されることもありますが、この2文字の中にふくしまの本気の思いがぎっしりと詰まっています。

本当の福島は、インターネットの中にはありません。足を運ばなければわからないことはたくさんあります。実際に福島に来て、福島の今を知って、福島をもっと好きになってほしいというメッセージです。

「来て。」は、卑屈に懇願をしているのでなく、福島の素晴らしさに自信を持って胸を張る究極の言葉なのです。

いま、行政の情報発信に求められているものとは何なのか？　福島県知事・内堀雅雄はこう考えている。

「『伝える』と『伝わる』は違うと思うんです。『伝える』というのは、それこそ私が記者会見でお話しする、あるいは情報を県のホームページで公開する、というような発信で、それも大切なことですが、やはり一方通行になりがちだと思います。相手の心に感動を呼んだり、『おっ？』と注目してもらったり、次のアクションを促すところまでいくかというと、なかなか難しいところがある。

一般論として言いますと、行政の発信は『伝える』ところまではきちんとやるのですが、『伝わる』という部分で弱いところがありますよね。でも、箭内さんの仕事にはその力があるんです。実際、私も、彼が手がけた新聞を目にして、会いに行ってしまったわけですから。

クリエイティブディレクターに就任いただいて以降、『伝わる』がもたらす力をいろんなシーンで実感しています。たとえば、県の観光ポスターも『来て。』の2文字になりました。我々が通常イメージするものとはまったく異なる発想の観光ポスターですが、極めてシンプルでインパクトがある。

これがすごく皆さんに届いたんですよね。多くの方々から貼りたいといったお声をいただけたり、体操の内村航平選手が『行くよ。』っていう返礼ポスターで応えてくださったり、反響が大きいんです。

この1枚が好評というだけでは終わらず、横への広がりも生まれました。翌年には『来て。』が進化して、新たに『呑んで。』『味わって。』『住んで。』のバージョンが生まれました。そこに『ふくしま。』の1枚を加えて5連ポスターとして展開しています。

県内の市町村によるコラボ企画も盛んです。二本松市や南相馬市、三春町などの自治体が、このポスターのフォーマットを活用しながら、写真だけオリジナルのものを選んで、それぞれの費用負担でポスターをつくり、県内外に貼っているんです。福島県だけじゃなく、県内の仲間たちも『来て。』というコピーでつながっていく。こうした協働の持つ意味は大きいと思います」

内堀の言う「協働」の意味について考えたい。それは効果的な情報発信を行うにあたって重要な視点だ。現代のブランディングには協働を自発的に生む仕組みや発想が必須である。ふくしまの発信にもその意志が働いている。

ポスターというメディアは「廃れた」という声も聞かれる。情報過多なネットの時代に、駅やお店に少々目立つ紙のビジュアルを掲げても、なかなか注目してもらうことは難しい時代だ。

しかし、「来て。」のキャンペーンについて調べるうちに、わかってきたことがある。このシリーズではポスターを、参加型のプラットフォームとして活用している。つまり、単に地域へと人を誘うメッセージを伝えるだけの機能を持つものではない。県と市町村、そして地域と人がつながるツールにもなっている。昔ながらのメディアを現代的にアップデートする試みと言えるだろう。これもひとつの「協働」だ。

現代的なブランディングと言えば、人はデジタルメディアを想起しがちだ。しかし、手段はそればかりではない。デジタルではカバーできないコミュニケーションもある。情報過多の社会において、人が〝風合い〟のあるものを求めているのもまた事実。それはブランドの真正性（オーセンティシティ）をも高めてくれる。

明確な方針のもとにトラディショナルなメディアをも、いかに包摂（インクルージョン）

するか。紙ならではの特性を新発想でジャンプさせられるか。そんな試みとして、「来て。」シリーズを眺めてみると、また別の風景も見えてくる。

内堀のコメントにもあったように、このポスターには市町村版がある。この横展開はあまり聞いたことがない。2022年度には、県内10の自治体が「来て。」のコピーやデザインはそのままに、写真だけを地元の風景に変えた市町村版を制作した。次のようなバージョンがある。

二本松市　安達太良山／**田村市**　磯前神社／**玉川村**　金毘羅桜／**三春町**　平堂壇の桜／**矢吹町**　大池公園／**北塩原村**　桧原湖と磐梯山／**猪苗代町**　磐梯山と磐越西線／**檜枝岐村**　中土合公園展望台／**南相馬市**　野馬懸／**広野町**　夕筋海岸

桜の名所から名峰、観光客に人気の鉄道、海岸など、各市町村が〝イチ推し〟する風景がピックアップされている。

それぞれの市町村の担当者は「うちはどのスポット、どんな写真を紹介しよう？」とあれこれ考えたことだろう。検索すれば現地の写真は、ネットでいくらでも見られる時代だが、大判のポスターに印刷されるなら本気度やありがたみも違ってきそうだ。

別の参加の仕方だってある。「来て。」のポスターは、全国の企業、商店、団体などに無償提供されている。オーダー専用サイト「貼って。」から申し込む仕組みだ。趣旨に共感したり、いいポスターだと思えば、SNSで写真をシェアするように、リアルな場で自主的に福島をPRすることができる。

貼る人の思いやメッセージを付け足せる「吹き出しステッカー」も配布している。パンデミックの中「来て。」のひと言さえ言い出せなかった時期に考案された。（コロナが落ち着いたら）「来て。」、（おうちで）「呑んで。」のように、ポスターをカスタマイズできるようになっている。

さらに2021年からは毎年の使用写真の一部をだれでも出品できるフォトコンテストで選んでいる。2022年には箭内ほか4人の審査員が、3580件の応募作品の中からグランプリ1点、優秀賞2点、審査員特別賞5点を選んだ。

「ふるさと写真コンクール」のようなイベントは全国で実施されている。観光PR用の写真を募る企画もあるにはある。公募は行政組織の得意技でもある。しかし、県の中核キャンペーンのポスターでドーンと使う写真をコンテストで選ぶ、という催しはあまり聞いたことがない。

つまり、「来て。」のシリーズは、発信する人（県や市町村）、広める人（お店や事業者）、写真を撮る人（コンテスト応募者）が一緒につくり上げていく本気の参加型キャンペーンになっている。ポスターという〝ステージ〟でこの3者がつながり、福島のファン（関係人口）を増やしていく仕組みである。これが内堀の言う「協働」の意味だろう。

ジワジワ型のコミュニティづくりではあるが、これは持続可能な方法だ。続ける中で豊かなブランド資産がストックされ、本当に「来る」人が増えていく。「来て。」キャンペーンは毎年の風物詩として、福島の新しい〝名物広告〟になり始めている。そしてこのキャンペーンには、組織内活性の効果もあった。

ポスターは毎年増えていきました。最初の1枚は観光交流課のポスターでしたが、次年度は県庁内の別の部署から「自分の課でも同じフォーマットでつくりたい」と声が上がりました。たとえば、農産物流通課からは「食べて。」をつくりたいと提案が。「であれば『味わって。』にしましょうか」などとやりとりをしていると、移住促進のための「住んで。」をつくりたいとか、全国新酒鑑評会での金賞受賞数が9年連続日本一（2022年現在）の福島の日本酒を「呑んで。」いただきたい、というように各課がノリノリに盛り上がってきました。

行政といえば「縦割り」の象徴のように語られがちですが、クリエイティブのフォーマットによって横のつながりが生まれていきました。それぞれがバラバラに動いていた各課が「福島の魅力を伝える」というミッションのもと、クリエイティブの力でワンチームになれたのです。人と組織の活性化は、僕がクリエイティブディレクターとして目指すことのひとつ、その具現を体感した場面でもありました。

1枚のポスターがきっかけで、優秀な人材の力が引き出され、縦の組織に横の串が通っていく、クリエイティブにはそんな可能性もあります。

ブランディングに必要な継続と進化。その「進化」の部分です。しかも自発が生んだ強さ。「シンカ」は内堀知事もよく最近口にしますね。「進化」「深化」「新化」、そして「真価」をと。

ベコ太郎がゆく

あなたの
ふくしまは
どんな ふくしま
ですか？
福島県の今を知るなら、ここから検索。

ふくしま
まっぷ

磐梯山
猪苗代湖
ふくしまの 地域
ふくしまの 鳥
ふくしまの 木
ふくしまの 場所
ふくしまの 面積
ふくしまの 人口
ふくしまの 花
会津
南会津
県北
県中
県南
浜通り
中通り
会津
ふくぺでぃあ
ふくしまの基礎知識
キャラクター
こんにちは。
「べこ太郎」です。

あなたの、わたしの、みんなの、
それぞれのこれからの
さまざまな人が
力をかされて。そして
人と人の輪は
ふくしま
確かに
これからも。
それは
大きくなりました。
福島県の
11の
重点プロジェクト
3.11
2011

福島県総合情報誌
「ふくしままっぷ」

6秒動画シリーズ
「もっと 知って ふくしま！」

「ひとつ、ひとつ、実現する ふくしままっぷ」

多くの都道府県、市町村などの自治体は「総合情報誌」をリリースしている。行政の情報を住民に伝えたり、地域の魅力を外の人にＰＲする役割を持つ冊子である。それらは無料で配布され、多くの場合ネットでダウンロードして読めるようになっている。

編集スタイルは様々だ。

各自治体トップや著名人、地域の事業者へのインタビュー、対談記事などを中心に構成する冊子から、ご当地の名所やグルメ・商品情報などにフォーカスする旅行誌風のもの、あるいは「いかにも行政」といった感想も浮かんできそうな手堅い文書的な媒体まで多岐にわたる。特集の打ち出し方や表紙、体裁、ネーミングなどからも、その地域のキャラクターのようなものが垣間見える。

福島県にもこれがある。「ふくしままっぷ」という。２０１６年にリニューアルされた総合情報誌。だが「ふくしままっぷ」は総合情報誌というには〝掟破り〟だ。

まず体裁はいわゆる冊子ではない。新聞見開きよりひと回り大きなＡ１サイズ。

その紙が八つ折りになっていて、開いて見ていくスタイル。開く前の状態、つまり〝表

あなたの知らないふくしまと。

行ってくれたらもっと楽しい。 来てくれたらもっとうれしい。

福島

郡山

いわき

阿武隈高地

親潮

黒潮

だがら だがら。

ふくしまには何でもあるね。

まずは気軽に来てみてください。ぼくもみんなのふるさとに行ってみたいなア。

探してみよう!

見て！読んで！感じて！

あなたの知っているふくしま

ふくしまには、今日も
様々な人々が暮らしています。
大切な人。
うれしいこと。
大好きな街。
つらいことも。
様々なふくしまが
力を重ね、
今日を生き、
明日へ歩んでいきます。

喜多方

磐梯山

会津若松

猪苗代湖

AUSTRALIA
オーストラリア

6つの県と隣接する
その広大な面積は
北海道、岩手県に次いで
全国第3位。

浜通り、
中通り、
会津地方、
「はま、なか、あいづ」と呼ばれる
気候も、気質も、歴史も
違う、
3つの地方。

さらに、
相双
いわき
県北
県中
県南
会津
南会津
7つに
区分される地域。

現在の人口は
およそ186万人。

紙〟はA4サイズだ。紙はザラッとした質感。「タブロ」と言うらしい。裏写りしにくい新聞用紙をイメージして開発された紙だが、これは分厚い。だが、厚みのわりには軽い。

驚かされるのはその情報密度の濃さ。

冊子全体にわたって、福島県の基礎知識から、県が取り組んでいる重点プロジェクト、県内各地域の名産品と著名人など、総合情報誌に求められるあらゆるインフォメーションが、これでもか！　というほどビッシリ描き込まれている——すべて手描きの文字とイラストで。

まずA4サイズの〝表紙〟には「ふくしままっぷ」のタイトルと、赤べこをモチーフにしたキャラクター「ベコ太郎」の顔面アップ。

ひとつ開けばA3サイズに。

そこでは福島の人口から面積、県民の歌、県章、鳥（キビタキ）、花（ネモトシャクナゲ）、木（ケヤキ）などの基礎情報が、イラスト入りで解説される。ナビゲーター役のベコ太郎によるひと言コメントもつく。

さらに開くとA2サイズに。

ここは県が取り組む11の重点プロジェクトの〝ページ〟だ。震災後に広がった「人の輪」

のイラストをモチーフに、「人口減少・高齢化対策プロジェクト」「避難地域等復興加速化プロジェクト」などが紹介されている。

最後はＡ１サイズの「まっぷ」が登場。デカい絵地図の中に、福島が誇る食や自然、工芸品、様々な分野で活躍しているゆかりの人物たちが描かれている。

正確には描き〝尽くされて〟いると言ったほうがよいかもしれない。それくらい圧倒的な迫力と細密度だ。柔らかな手描きのトーンもあってそう感じさせないのだが、おそらく一般的な総合情報誌１冊を超えそうなほどの情報が、この１枚の紙に詰まっている。

全部読む（見る）と、結構時間がかかる。だが、じーっと眺めていても飽きない謎の吸引力がこの冊子にはある。

先に〝掟破り〟と書いたが、実はこれほどお約束通りの情報誌もない。掲載内容そのものはこれ以上ないくらいオーソドックス。県の総合情報誌ならではのインフォメーションが、ここに網羅されている。

もちろん「ふくしままっぷ」には作者がいる。アートディレクターの寄藤文平（文平銀座）

である。こうしたスタイルの「総合情報誌」が生まれることになった経緯について、寄藤に聞いてみた。

「こういう冊子を〝八つ折り〟と呼んでいます。僕はこの八つ折りのスタイルに可能性を感じていました。1枚の紙を折りたたんだだけのものですが、ひと折りごとに編集していくことで、集約的に情報を伝えることができるからです。

『ふくしままっぷ』以前にも八つ折りをつくってみていて、それらを箭内さんにも見ていただいたことがありました。それを覚えていてくださって、福島の情報誌をリニューアルするにあたって、あのスタイルでつくれないかというお話をいただきました。

当時、八つ折りに可能性を感じていた半面、壁に行き当たっていました。それまでの八つ折りは、精密なグリッドシステムを用いていました。横組でも縦組でも自在に組み込めるようなフォーマットを設計して、絵を描くように自在にレイアウトすることで情報を表現できないかと考えていたんです。ただ、この方法を突き詰めてもあんまり楽しくなかったんですね。1枚の紙でできることって、もっと面白いもののはずだと思っていたところでした」

そこで寄藤はひとつの決断をした。

「原寸で、文字も絵もなにもかも手描きでやってみようと思ったんです。システムでできないことをやってみようと思いました」

寄藤文平はみずからイラストレーションも手がけるアートディレクターである。JT「大人たばこ養成講座」、リクルートのフリーペーパー「R25」、東京メトロのマナー広告「家でやろう」といったポスターや雑誌などで、彼の〝絵〟を目にしたことがある人は多いだろう。

しかし、「ふくしままっぷ」はこれだけの情報量である。「全部、手描き」は覚悟がいったかもしれない。八つ折りスタイルを選択した場合も、写真や組んだ活字でオーダー通り構成することはできる。オール手描きはとてつもなく骨が折れそうだが……。

寄藤は言う。

「中に入れる内容はおおむね決まっていて、たくさん資料をいただきました。ふつうは、それを選別したり、整理してデザインしていくわけです。でも、『ふくしままっぷ』ではそれをしませんでした。いただいた資料を、頭から全部入れてみることにしたんです。

大まかな構図を決めた上で、ひとつの要素を描いたら、そのとなりの要素を描いて、それらの要素の余白に次の要素を描く、というふうに要素同士の関係だけで絵と文字を描いていきました。

ですから、『ふくしままっぷ』にはレイアウトの工程がないんです。こういうつくり方は僕自身、本当にチャレンジングでした」

だが、チャレンジはここで終わらなかった。

「ふくしままっぷ」は好評を博し、様々なコラボ企画が持ち上がる。セレクトショップ「BEAMS」と福島県によるタイアップ「ふくしまものまっぷ」もスタートした。漬物や日本酒、三春張子など、福島ゆかりの「もの」にフォーカスし、店舗で販売している。

さらに、当初は膨大な情報を集約して伝えるナビゲーター役として考案された「ベコ太郎」の人気も上昇。マップから飛び出してしまった。グッズなどがつくられ、県の防災ガイドブック「そなえる　ふくしま　ノート」への〝起用〟も決まる。寄藤は一部画像に関して、このキャラクターの著作権管理を県に一任。そのことでベコ太郎の活躍の場が広がった。

キャラクターについて寄藤はこう話す。

「もともと箭内さんがつくった、赤べこをモチーフにした『ベコヒコ』という人の形をしたキャラクターがあって、二足歩行の赤べこってかわいいなと思ったんです。『ふくしまっぷ』は画面がかなり雑多になるので、ナビゲーションのためにキャラクターが必要だと思っていました。そこで『ベコ太郎』に登場してもらったというわけです」

ご存じとは思うが、赤べことは張子の牛。頭に触ると首をフリフリ揺らす会津の郷土玩具である。このベコ太郎をイメージした赤べこ（玩具）がつくられるという〝逆転現象〟まで生じた。

２０１８年、ベコ太郎は映像デビューを果たす。６秒動画シリーズ「もっと 知って ふくしま！」だ。

「もっと 知って ふくしま！」は、福島の名物や名所をＰＲする６秒の短尺アニメーション。第１弾の25本に加えて、翌年には県内に59あるすべての市町村版がつくられた。２０２１年には番外編的な「移住 with you」シリーズも制作されている。

このシリーズはコミカルなアニメと、リズミカルなラップ風の台詞の組み合わせがとにかく楽しい。第１弾シリーズから〝リリック〟をいくつか抜き出してみよう。

ふくしま

面積
ふくしま
13,783 km^2

オースト
AUSTRALIA

ベコ太郎。

ぶんず色。

キビタン

会津。

朝ラー！

たまごです。

「さすけねだぁ」

パンク。

凍みもち。

ギャラクシー

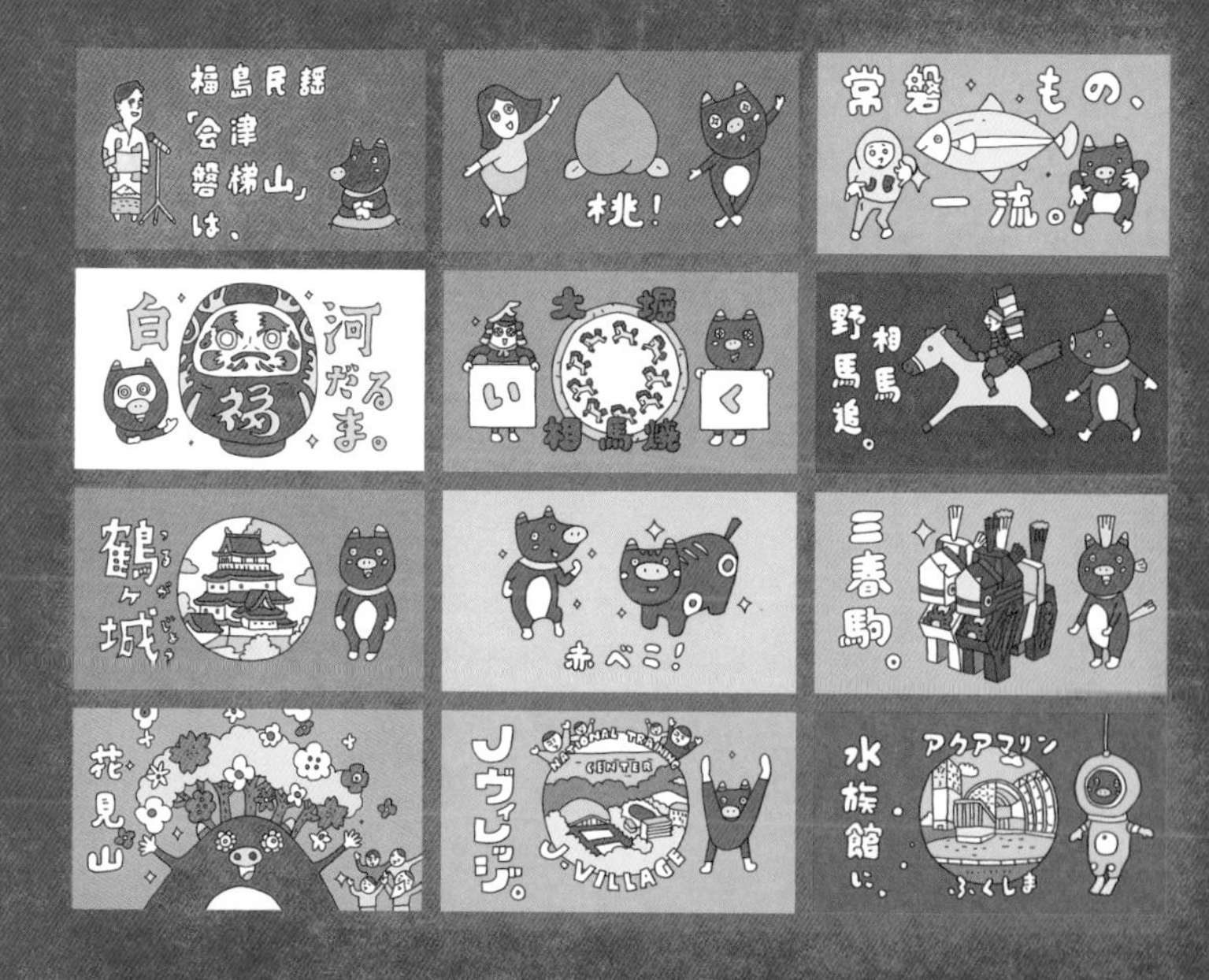
福島民謡「会津磐梯山」は、
桃!
常磐もの、一流。
白河だるま。
福
大堀相馬焼
い
く
野馬追
相馬
鶴ヶ城
赤べこ!
三春駒。
花見山
Jヴィレッジ。
NATIONAL TRAINING CENTER
J-VILLAGE
水族館に。
アクアマリンふくしま

もっと 知って ふくしま!

こんにちは、ベコ太郎。こう見えて、ウシ。
キビタキ　キビタン　飛べるけど、スニーカー。
寒流　暖流　常磐もの、一流。
オースト　ラリアと、似てる　ふくしま。
ハシじゃなく、ネギで食う。パンク。ネギそば！
スーパーで　馬さし。たべれば、ギャラクシー

韻を踏んでいるものもあれば、そうでないものもある。こういった〝1行コピー〟をリズムにのせて言い切ったかと思うと、緞帳が下りて動画は終わる。

バックには「♪んだんだんだんだんだ」というアップビートの合いの手がエンドレスに流れている。東北の方言で「そうだよ」を意味するあの「んだ」である。

残念ながら活字では、この動画に宿る謎の〝グルーヴ感〟までお伝えすることは難しい。

だが、特設サイトで総集編などをずっと見ていると、なんだか癖になる。ハマるタイプの映像である。

こんな不思議な佇まいの映像がどうやって誕生したのか？　寄藤が説明してくれた。

「話をいただいたとき、僕はバンパー動画という単語も知らなかったし、6秒の動画広告をつくったこともありませんでした。

以前からYouTubeやデジタル空間での表現には興味があって、自分なりの分析はしていました。たとえば、字幕がないと見ない。主役は画面の中央にいないとダメ。感情を応援する存在がいると、そこに共感する。動画の冒頭から主題に入らないとストレスに感じる。といったことです。

最初は『んだんダンス』という、ダンスに乗せて福島の情報を伝えるというアイデアからスタートしたんですけど、ダンスって『間』でできているので、すごく時間を必要とするんですね。6秒ではとても収まりませんでした。そこで、『んだんだ』というリズムに合わせて、歌っていくようなスタイルに変えました。

聞きとりやすい速度で、5文字4単語ぐらい話すと、おおむね6秒くらいに収まります。『キビタキ』『キビたん』『飛べるけど』『スニーカー』と来て、『もっと 知って ふくしま！』の緞帳が落ちると6秒。けっこう楽しいリズムになるんですね。このリズムがあって、モチーフが真ん中にあって、『ふくしままっぷ』のベコ太郎がとなりで応援していて、字幕入り。これならYouTubeでも見てもらえるだろうと思いました。

この形式が見つかるまでは試行錯誤しました。検証のために、自分でコンテを描いて、撮影して、つないで、台詞をあてて試作品をつくったんです。それを見た箭内さんが『この声の感じがすごくいいから、文平くんの声でいきましょう』とおっしゃって、本番も僕の声で仕上げることになりました」

県の総合情報誌のリニューアルという県庁からの依頼。それに応えたクリエイティブが「ふくしままっぷ」です。「一度読んだらおしまい」でなく、手元にずっと残して幾度も読み返したくなるようなもの、欲しくなるもの、もっと言うと、部屋の壁に貼って飾っておきたくなるようなもの。そこまでの価値があるものをつくりたい、そう考えました。福島をもっともっと身近に感じて、もっと愛してもらえるように。数字としてだけでなく、すべてを体温のある情報として届けることができるように。

「来て。」のポスターもそうですが、そのツールのあり方と届け方を適切に刷新することで、発信をより正しく機能させていくことが可能になります。「そこまでやるか」というインパクトを持って、発信者の本気を驚きとともに受け手に届けること。「伝える」を「伝わる」に変えるために必要なのは「オーバークオリティ」と「スーパークリエイティブ」。「ふくしままっぷ」は、その代表であり象徴です。すべての発信を牽引し底上げしていく先頭走者であると位置づけました。

過剰なまでの手数と密度で精緻に描かれた「地図」。アートディレクターでありイラストレーターでもある寄藤文平という作家の、画力と胆力、複雑な情報を整理して再構築する力、そして福島の土地と人と文化に向けた深い眼差しと哲学。すべて揃って初めて成立する唯一無二の発信です。工芸品やアート作品のような魂と感動がそこに宿り、人々の心に届いて機能を果たします。

今のふくしまを知る入り口となる6秒動画「もっと知ってふくしま!」で披露してくれたラップのように誠実なチャーミングさも寄藤さんの魅力。彼との関係はもう長いのですが、常にたしかな視座を持ち、深い洞察に基づく高度な技術を冷静に備えています。思いを寄せ、身を削り、その力を福島県の復興に捧げてくれていることは、福島のブランディングにとって非常に大きな財産です。

「ふくしままっぷ」をリリースした2016年は、県の発信にとってひとつのターニングポイントでもありました。野球にたとえれば、1回表の長い守備が終わって、ようやく1回裏の攻撃に入る場面。多くの急場を長い守りで凌(しの)いだあとの攻めのイニング。「ふくしままっぷ」は、このタイミングに絶対に必要なクリエイティブでした。

縦割りの組織に紐づく個別の発信は、どうしても非効率性を抱えます。そこに横断と連帯を築き、県の発信力を高める作業に、ベコ太郎はひと役買ってくれています。

6秒動画や防災ガイドブックのみならず、「ふくしまプライド。」のCMや、福島県ブランド米「福、笑い」のパッケージ背面にも出没するベコ太郎。セレクトショップBEAMSの方が「ふくしままっぷ」を気に入って店舗に置いてくださったり、それをきっかけに県の名産品とのコラボシリーズがスタートしたり。丸善ジュンク堂書店さんとのブックカバーコラボレーションが実現したり。そこも含めて「ふくしままっぷ」がもたらしたものは大きいです。

魂が届き、思いが伝わり、次へとつなぐ。クリエイティブにはその力があります。寄藤さんとは最新版となる「ひとつ、ひとつ、実現する ふくしままっぷ」の作業を進め、「ふくしままっぷ」を超える圧倒的な冊子が完成しました。

すきになる
ふ
く
し
ま
んだ!
福島
郡山
阿
武
隈
高
地
いわき
親潮
黒潮
花見山
三春滝桜
大堀相馬焼
ロボットテストフィールド
わらじまつり
レッドホープス
ルバーブジャム
リカちゃんキャッスル
ラズベリー
夜の森の桜並木
ゆうやけベリー
流鏑馬
もも
メヒカリの唐揚げ
霧幻峡の渡し
三春滝桜
松川浦
本郷焼
平伏沼モリアオガエル
福笑い
冷やしラーメン
ハバネロソフト
野口英世記念館
ねっか

知ってもっと近くなる
行って
あんぽ柿
猪苗代湖
裏磐梯
大山祇神社
田んぼアート
蔵
県営あづま球場
胡蝶蘭
さるなし
地雷火
須賀川特撮アーカイブセンター
ゼリーのイエ
そばパスタ
只見線
提灯祭り
鶴ヶ城
天ぷらまんじゅう
塔のへつり
南郷トマト
日本酒
喜多方
会津若松
越
後
山
脈

福、笑い

福、笑い

福島県ブランド米「福、笑い」
パッケージデザイン

「福、笑い」CM
新米篇
2022年

ふるさとの威信をかけて開発された新品種の米が〝ブランド〟としてデビューするまで。ここではそんなストーリーを追ってみたい。

「2011年の原発事故の影響で、県産農林水産物のブランド価値は大きく損なわれました。風評被害により現在も、一部の農産物の価格は回復していません。そのため福島県では、ほかの都道府県が行っているプロモーションよりも質・量ともに力を入れて、安心・安全はもとより、そのおいしさや魅力を積極的に発信していく必要があるんです」

そう語るのは鈴木正人。福島県庁の農産物流通課長である（2022年現在）。農産物流通課の主なミッションは、県の農産物の消費拡大と販売促進を行うこと。農林水産物を戦略的にブランド化し、競争力を高めることも重要な仕事である。

農産物流通課長に就任して3年度目の鈴木は、「ふくしまプライド。」ほか箭内道彦が携わるいくつかのプロジェクトを担当している。

鈴木の発言の中に、風評についてふれるくだりがあった。震災から10年以上たったいま、その影響はどれほどのものなのだろう？　現状を調べてみた。

農林水産省では2017年（平成29年度）より、福島県産農産物などの流通実態調査を継続して行っている。2022年に公開された「令和3年度版」の報告書が示す結果は、次のようなものである。

まず、重点6品目（米、牛肉、桃、あんぽ柿、ピーマン、ヒラメ）について。
「出荷量は震災前の水準まで依然回復していない」
「全国平均との価格差は徐々に縮小しているが、牛肉、桃など全国平均を下回る品目も見られる」

福島と言えば〝桃王国〟のイメージもある。生産量は山梨県についで全国2位。福島を代表する品種と言われる「あかつき」のように、硬い桃を好む人に人気の高級ブランドもある。にもかかわらず、トータルでの価格は全国平均より低いという。

一方で同報告書は改善が見られた点も記している。
アンケートを実施したところ、「仲卸業者等の『納入業者』が、納入先の福島県産品の取扱姿勢を実態よりも低く評価している認識の齟齬（そご）は総じてやや改善」とのことだ。

正確を期すためか、行政特有の言い回しのため、一読では意味が取りにくいが、流通関係業者の福島県産に対する評価は前年度に比して上がっているということだろう。誤解が理解に変わり始めている、ということかもしれない。ピーマンとヒラメの2品目の価格は、原発事故後初めて全国平均を上回った。

今後の対策について報告書はこう提言する。

「福島県産品の価格回復を図っていくには、対象品目ごとに課題を調査・整理し、仮説を立ててマーケティング活動に取り組むことが重要」

当たり前の結論のように思える。だが、もっともである。

ここで言う〝マーケティング活動〟を効果的に行うために、鈴木が所属する農産物流通課が存在し、箭内のようなクリエイティブディレクターと第一線のプロフェッショナルたちが、ブランディングやプロモーション面からのサポートを行っている。

福島県がマーケティングを行う重要な対象品目のひとつに「米」がある。日本の地方風景と言えば「田んぼ」のイメージもある。米はふるさとを象徴するソウル・アイテムである。だが福島だけでなく、全国各地の自治体・関連団体にとって、米のマーケティングはヘビーなミッションでもある。

なぜか？　米離れが進んでいるからだ。

農林水産省の「食料需給表」によると、日本人一人当たりの米の年間消費量は、１９６

2年度の118・3キログラムをピークに減少を続け、2020年度には50・8キログラムと半分以下になった。

ちなみに2010年度は59・5キログラム。この10年での下落幅も大きい。需要が減れば価格も下がる。各地域のブランド米が乱立する状況も競争に拍車をかけている。

それに加えて福島の場合は、ほかの自治体にはない課題も存在する。鈴木は言う。

「福島県は原発事故以降、放射性物質に対する検査や吸収抑制対策に時間と労力を費やし、ブランド力の強化という点では他県に大きな後れを取っていました」

安全基準をクリアするため福島県では震災以降、農林水産物に対して放射性物質モニタリング検査を行い、結果を公表している。2021年度の出荷確認検査では、1万3416件の検査数に対して基準値超過は3例にすぎない（クロソイ1件・イワナ1件・ヤマメ1件）。渓流魚などに関しては、2022年現在も一部地域で出荷制限がかけられている。

県産米では「全量全袋検査」を実施してきた。2015年以降5年間、基準値超過が1例もなかったことから、現在は検査手法が一部見直されている。

いずれにせよ、ここまで徹底した検査を行う中では、マーケティングどころではなかっただろう。世間の当たり前を実行しづらい状況にあった。

だが、その間に難しい市場課題が生じた。鈴木はこう続けた。

「福島県産の米が置かれていたお店の棚は他県産のものに奪われ、品質はよいがそのわりに安価という認識が広がってしまったんです。一方、他県では『つや姫』や『ゆめぴりか』をはじめ、多くのブランド米が乱立しており、まさに戦国時代とも言えそうな状況でした」

こうした市場動向を受け、他県の人気ブランド米と互角に戦える〝トップブランド〟の登場が待望されていた。福島県では「コシヒカリ」や「ひとめぼれ」など、すでに多くの人気ブランド米を生産している。「天のつぶ」はじめ県を代表するオリジナル米もある。だが、このタイミングで次の時代を切り拓く地元出身の大型ルーキーがほしい。

福島県は全国屈指の米どころと言われる。「米の食味ランキング」で最高評価獲得銘柄数が４年連続日本一となるなど、品質に対する評価も高い（日本穀物検定協会・平成29〈2017〉年産～令和２〈2020〉年産）。米は〝ふくしまプライド〟の代表選手と言っていいだろう。

水面下で準備は進んでいた。開発がスタートしたのは2006年。「コシヒカリ」の血を引く「新潟88号」を母、「ひとめぼれ」の血を引く「郡系627」を父として交配、14

年をかけて新品種の開発が行われた。米市場のゲームチェンジャーとなりうる〝サラブレッド米〟、「福島40号」が誕生した。２０１９年、「福島40号」は県の奨励品種に採用される。本格的なお披露目は２０２１年に設定された。

こうして生まれたのが「福、笑い」である。たとえて言うなら〝プロジェクトＸ〟ばりのビッグチャレンジ。満を持してのデビューとなった。

どんな米なのだろう？　公式サイトでは「香りが立ち、強い甘みを持ちながら、ふんわり柔らかく」炊き上がり、「これまでにない個性的な食感・食味が持ち味」だと説明されている。

何はともあれ味は大事だ。というわけで、県のアンテナショップ「日本橋ふくしま館ＭＩＤＥＴＴＥ（ミデッテ）」で買って食べてみた。あくまで個人の感想というものだが、うまい。私は米好きで、それなりにいろんな品種を試してきているのだが、「福、笑い」は繊細で上品な味。色はキレイで艶があり、ひと粒ひと粒がふっくら。それでいて米自体の主張は穏やかで、おかずの味を引きたててくれる。「これは丹精こめてる」と感じた。

ちなみにこの品種は、県などが定めた登録制度で認められた農家以外は栽培することができない（認証ＧＡＰ取得などが登録要件）。その上で、玄米タンパク質含有率６・４パーセント以下、ふるい目1・9ミリ以上などの基準を満たしたものだけが「福、笑い」を名乗ることを許される。こうした要件の厳しさもあり、現段階の流通量はそれほど多いわけではない。現在は福島県内や首都圏、大阪ほかいくつかの地域を中心に、有名百貨店や専門性の高い米穀店、高級スーパーなどでの販売を目指す戦略が取られている。目指すは「日本一の米」である。

福島県内ではどのように受け止められているのか。鈴木はこう話す。

「生産者やJAなどの関係者、県民の期待がとっても大きいお米です。私は令和2（2020）年に課長に就任したのですが、大きなプレッシャーを感じていました。『福、笑い』は福島県が守りから攻めに転じるための重要なお米。これを全国のトップブランド米以上の高級米に育て上げていかなければなりません」

ネーミングは鈴木が農産物流通課長になる前年度に決定していた。2019年の秋に県内外から一般公募を行い、6234点の応募作が寄せられた。箭内道彦はじめ、お米マイスター、料理人、流通関係者からなる6人のアドバイザーチームが結成されて名称を検討。「福、笑い」のブランド名が公表されていた（品種名としては「福笑い」）。

翌年のお披露目に向けて、課長に就任した鈴木がまず着手したのは、パッケージデザインである。農産物流通課では、他県のトップブランドの米のパッケージデザインを調査した。今後ライバルとなる人気ブランドのパッケージから、人気米のトレンドやヒットの秘訣を探りたい。これはマーケティングの基本と言える。

効果的なコミュニケーションを行う〝メディア〟として、商品のパッケージは重要である。ネーミングを〝顔〟とするならパッケージは〝衣装〟のようなもの。〝見た目〟がイケてないとあらゆるブランドが乱立する市場では埋没してしまう。

だが、ただ目立てばいいかと言うと、ことはそれほど単純なものではない。「深層は表層に宿る」と言われるように、ネーミングやパッケージ（表層）には、そのブランドの本質やこれまでにない価値が表現されている必要がある。これはブランディングの要諦だ。

商品を「世の中に広める」という意味では同じ目的を共有するにもかかわらず、「マーケティング」と「ブランディング」はときに食い違う。前者が既存のデータを重視し、演算的に解を導こうとする行為である一方、後者は新しい価値を生み出すことに重きを置き、まだ見ぬ世界へのジャンプを志向する。

鈴木は調査結果をこのように分析していた。

「他県のトップブランド米のパッケージデザインを調べると、左右対称の幾何学模様が多いという印象でした。中央に品種名がドンと載っていて、シンプルかつ洗練されたデザインです。私自身、こうしたデザインが好みでして、『福、笑い』もこの流れにあるものになるのかな？　と漠然と想像していました」

しかし、実際は鈴木の予想の斜め上を行くパッケージが生み出されることになった。

「デザインは箭内さん監修のもと、アートディレクターの寄藤文平さんが担当することになりました。関係者による1回目の打ち合わせで箭内さんから、『他県のブランド米が幾何学模様なら、このお米は別の方向を目指したほうがいいんじゃないですかね？』という話が出たんです。それで箭内さんは寄藤さんにこんなディレクションをされていました」

「文平くん、これ、定規は使用禁止だからね！」

箭内の口から「感情移入できるもの」「振り切ったデザイン」というキーワードが発せられるのも鈴木は耳にした。期待と不安が入り混じった気持ちになる。

定規は使用禁止？　ということは手描きなのだろうか。振り切ったデザインとは……？

2回目の打ち合わせの前日夜、デザイン案が課の担当職員のもとにメールで送られてきた。添付のビジュアルを確認するやいなや担当者は鈴木にこう告げた。

「課長……ヘンなのが来ました！」

鈴木は笑いながら回想する。

「これが米袋のデザインなの？　というのが率直な感想でしたね。画家が描いたような米づくりの原風景。しかも藍色一色で。

翌日の会議で箭内さんからは、『福島の温かさがある。人間愛もある。米をつくる人のこだわりまで描かれている。いままでの米のデザインの文脈にない新しいものができました』というお話があったのですが、私はまだ既成概念を引きずっていました。

しかし、思い直したんです。これこそ、これまでにない『振り切ったデザイン』ではないかと。そして肚(はら)を決めました。関係者への説明を頑張らなければと」

鈴木にとって意外なことに、県庁幹部やＪＡはじめ関係者のリアクションは好評だった。「情報量が多いのではないか？」「食品で藍色はタブーでは？」といった意見も出たが、他県のトップブランドとは一線を画す世界観で勝負したいとの認識は共有することができた。

販売を開始すると、お店やお客さんからの評判もよい。「目立つ」「かわいい」「温かみがある」「贈答用によい」など好意的な声が大半だった。その後「福、笑い」は、日本パッケージデザイン大賞２０２３で銀賞を受賞している。

「心配は杞憂でした。自分のセンスのなさを改めて感じたところです」。鈴木はそう振り返る。

　このパッケージに描かれているのは、一年を通じての米づくりの風景。苗づくりに始まり田植え、稲刈り、精米までの物語が、ひとつの絵の中に〝筆描き〟で表現されている。

　絵とデザインを手がけた寄藤文平はこう話す。

「なんとなく、このお米は『デザインする』という感覚で取り組むのは違うんじゃないかと感じていました。それで、具体的なパッケージを考える前に、まず、ビッグイメージといいますか、このお米の世界像みたいなものを絵にするところから始めました」

　寄藤はこの頃、絵を描くのに筆を使い始めたばかりだった。筆を用いて描こうとしたビッグイメージとは何だったのか。

「お米って、商品である前に、景色として存在しているようなところがありますよね。太陽や雨や、水や山、そこに人がいて、祖父母から孫へと継承されてゆくという、自分の中のお米の原風景みたいなものがあって、それを絵にしてみたんです。『福、笑い』って、大笑いするような満面の笑顔みたいなものとは少し違っていて、もう少しおだやかで嚙み締めるような笑顔だと思うんですよね。お米を炊く人が、袋を見るたびに笑顔になったりはしないと思いますけど、その感触みたいなものを思い起こす絵姿として、パッケージが作用してほしいという気持ちでした」

クリエイティブディレクターとのキャッチボールはどうだったのか。

「最初に描いた原風景のような絵をお送りしたとき、『すごくいい』と喜んでくださいました。その原風景を起点に具体的なパッケージに落とし込んでいったんですが、最初の原風景をもう一度解釈して、そのエッセンスを抽出するようなことをすると、どうしても行儀のいい、だけど不自然な完成度が出てきてしまうんですね。箭内さんが『新しいのもすごくいいけど、やっぱり最初の絵でいこうよ』とおっしゃって、原風景に立ち返って、ほとんどそのまま描き起こしたものが最終形になりました」

寄藤も言うように「福、笑い」はパッケージデザインだけの仕事ではない。そこに描かれた世界観は、公式ウェブサイトからポスター、各種グッズ、店頭ポップなどを含めたキャンペーンとして展開されていく。

その際は統一された世界観で訴求していかないと、ブランドイメージを浸透させづらい。だが、ブランディングに対する考え方は、クリエイティブディレクターによっても異なる。

箭内道彦はブランドづくりに独自の考えを持っているようだ。以前、彼に取材した際、「ブランディング」というテーマで質問すると、こんな答えが返ってきた。

広告も統一感のある記号的なものじゃなく、もっと深いコミュニケーションが必要って気がします。それをていねいにやるには、ひとつひとつのメディアで、それに見合った別のアウトプットを開発しなきゃならないんです。

ブランディングの教科書だと、タワーレコードの財産は、コーポレートカラーの黄色と赤、そしてこの斜めのロゴですってなってて、それをとにかく飽きずに訴求し続けることがアイデンティティになるって、たぶん書いてあるはずなんですよ。でも、あのポスターでは、そういう色を全面に使ってるわけでもない。効率を考えたら「NO MUSIC, NO LIFE.」のロゴも統一してシリーズ展開したほうがいいはずです。でも、タワーレコードは、その逆をやってコミュニケーションが成立したときの強さを証明できてると思うんです。

（雑誌「広告批評」2006年6・7月合併号より）

こうした事例を挙げた上で、彼の広告づくりの根幹にある発想をキーワード化した。それは「点のブランディング」だという。

バラバラに見える僕の行動が〝点〟だとすれば、「月刊風とロック」の中でもいろんな点を打ってるし、タワーレコードでも点を打ってる、uno、リクナビNEXT、FUJIFILMでも点を打ってる、ってことなんだと思いますけどね。ただ、点を打つ位置決めが大事なんです。最初的確に打てると、今度はだんだん点を外側に打つことができ始めるというか、広げられるんですよね。すると、その商品が強くなって、包容力や広さ、深さが出てくる。（前掲）

ふくしまの一連のキャンペーンや箭内個人の活動も、こうした発想から生み出されているのかもしれない。ここまで紹介した新聞広告やＣＭ、観光ポスター、総合情報誌なども点のひとつ。それらを毎回アップデートしながら、点をつないだところに「ふくしま」を描こうとしているのではないか。

このインタビューから17年、「点のブランディング」は改めて気になるワードだ。この方法論には、多面的で奥行きのあるブランドを構築するヒントがある。シンプルな記号で画一化する手法と異なる発想は、多様性と包摂の時代にふさわしいようにも思える。

行政のように幅広い事業を行う組織の発信を無理なく束ねる際にも有効だろう。観光キャンペーンから産業振興、農産物のプロモーション、移住促進など、異なる様々な課題を〝点〟と捉えて全体像をつくっていける。

しかし、いくつか留意したい点もある。箭内自身も述べているように、最初に打つ点（アウトプット）は、ブランドのアイデンティティを的確に示すものでなければならない。たとえばタワーレコードには「NO MUSIC,NO LIFE.」というコアがある。これがあるからこそ、多くのミュージシャンや企画・施策を巻きこんでいける。逆に下手な場所に点を打てば、ブランドイメージが空中分解するリスクもある。

異なる点同士をいかにつなぎ、最終的にどんな〝絵〟として〝物語〟として世の中に伝えたいのか。そのブランドに見合った戦略やシナリオを練ることが重要だ。打った点（施策）のひとつひとつを進化させていく必要もあるだろう。

「福、笑い」のケースでは、幾何学図形をモチーフにしたパッケージが多い既存人気米のポジションから、かなり離れた場所に点を打っている。これを包容力のあるブランドとして、どう進化させようとしているのか。次にテレビCMを例に見てみよう。このブランド米の世界観のコマーシャル化を託されたのは、映像作家・写真家の柿本ケンサクである。

福島県のブランディング・プロジェクトに携わる多くのクリエイターがそうであるように、柿本も活動領域の広い表現者だ。広告だけでなく、ミュージックビデオから映画・ドラマなど、ジャンルを問わず多くの映像作品を演出。近年の仕事では大河ドラマ「青天を衝け」(2021年)のメインビジュアル、タイトルバックを記憶している方も多いだろう。映画「恋する寄生虫」も話題になった。

写真家としても多くのプライベートワークを国内外で発表。映像作家としてはロンドン国際映画祭、カンヌライオンズなど数々の国際映画祭・広告祭で受賞するなど海外からの評価も高い。

柿本は東北の被災地の支援活動にも携わってきた。「LIGHT UP NIPPON」というプロジェクトに協力している。被災地域の10カ所で例年8月11日、鎮魂と復興の願いをこめて一斉に花火を上げる企画だが、イベントのドキュメンタリー映画も制作するなどしている。収益は支援金に充てられる。

寄藤の絵を素材にアニメーションで描かれる「福、笑い」のCMはこんな内容だ(令和4年産「新米篇」30秒)。

藍色の筆絵で描かれた田んぼの風景。それを俯瞰(ふかん)で捉えたのち、そのままクローズアップしたカメラは、畦道を走り出す子どもたちの姿を追う。続いて視点はそのまま横に移動し、田んぼの中にいる農家の人の表情にフォーカスする。その人は額の汗を拭う。

ここまでワンカットだ。この最初の7秒はまるでドローンで撮影したかのような滑らかで奥行きを感じさせる映像（カメラワーク）になっている。その後、風に揺れる稲穂を描いた風景や実った穂を農家の人が満足げに眺めるシーンがインサートされ、民家からは「ごはんよー」の声。食卓を囲んだ家族の前に、土鍋で炊かれた「福、笑い」が供される。

このCMの演出について柿本はこう説明する。

「『ただ、イラストが動くというのではなく、もうちょっとダイナミックな演出をつけてもらえませんか？』ということで、お声がけいただいた記憶があります。

そこで、何かひとつ、驚きのようなものを入れたいと思いました。お米のクオリティやブランド感を表現しつつ、寄藤さんのイラストにあるぬくもりも担保し、映像ならではのダイナミズムを出すにはどうすればいいか考えようと。

寄藤さんのこのイラストって、すでにアートディレクションまで計算されてるんですよね。懐かしく哀愁の漂うようなテイストで優しい。色のトーンや筆の感覚みたいなものも完成されている。

それをどう動かそうか？　と考えたとき、まんま普通に考えると『まんが日本昔ばなし』のようなイメージの映像になると想像できるんです。典型的な2Dのアニメーションですよね。ただ、それだとダイナミズムを表現しづらい気もして、その世界よりもう一歩進んだ3次元的な広がりを、平面のイラストを使いながらどう表現するかが演出上の挑戦になりました。そこで大河ドラマ『青天を衝け』でも試みたような、鳥の視点を導入することにしたんです」

柿本が言うのは、いわゆる「3DCGアニメ」である。寄藤が描いたポイントになる場面を〝原画〟として、アニメーションの作家チームがあいだのコマを描いてつないでいくスタイルだ。このCMの演出上の〝こだわり〟は3DCG表現の空間的奥行きだけにとどまらない。柿本はこう続けた。

「お米の穂の垂れ加減なども大切なんです。イラストであっても、ちゃんとおいしそうに見えないとダメなので。穂の垂れ加減は、農家さんもすごく気にされるところで、収穫期の実の豊潤さが感じられるようなちょうどいい塩梅の垂れ加減を追求したり。

もうひとつ心がけたのは躍動感ですよね。イラストから朝日や夕日を感じられるように、光のテクスチャーを常に動かすようにしたり、稲穂の揺れ具合だったり、さりげなくトンボが飛んでいたり。イラストにある余白を大事にしながら、そこに生命が宿っているかのような空気感を表現したくて。

『福、笑い』のパッケージに登場する人たちが、どんな家に住んでいて、どういう家族構成で、どういった自然環境の中で暮らしているか。そんなディテールまで描くことで、ストーリーをきちんと伝えたいと。

子どもたちが大きくなって都会に出て、帰省したときに、おばあちゃんの家で手塩にかけてつくられたおいしいお米を食べている——言葉で説明はしていないんですけど、そんなストーリーを感じてほしいなっていうのはありますね。体験していなくてもだれもが懐かしいと思えるような映像を目指しました」

「深層は表層に宿る」と書いたが「神は細部に宿る」の言葉もある。その両立はブランディングのもうひとつの要でもある。

「福、笑い」はバックに流れる雄大なオーケストラ音楽も印象的だ。作曲を手がけたのは大友良英。ナレーションは俳優の松重豊が担当している（2022年版。※前年版のナレーションは余貴美子）。30秒CMのほか15秒バージョンと45秒バージョンもある。

農産物流通課長の鈴木正人は、試写でこのCMを初めて見たとき「ウルッときた」とい

語り：松重 豊
語り：松重 豊
語り：松重 豊
語り：松重 豊
語り：松重 豊

語り：松重 豊
語り：松重 豊
語り：松重 豊
数量限定
ご贈答にも！
福、笑い
福島県

う。発表会ではある新聞の記者が涙ぐんでいるシーンも目にしたそうだ。

「米袋のデザインから独自の世界観が本当に開けたと思いました。CMは当初、タレントを起用する方向性で検討していたのですが、最終的には箭内さんとの話し合いの中で『起用なし』ということになったんです。

　他県のブランド米はたいていタレントを起用しています。私は一抹の不安を覚えましたが、『インパクトや瞬間風速は出せたとしても、視聴者の関心がタレントに集中してしまい、肝心の世界観が伝わりにくくなることへの懸念もある』とのお話でしたね。のちの会議の中では、『パッケージが〝タレント〟なんです』というコメントもありました」

　鈴木はときおり用意した原稿に目を落としながら淡々と話す。取材を受けるときメモや簡単なペーパーを用意する人はいるが、きちんとした文章まで書いて臨む人にはあまり会ったことがない。

　しかし、その口調は明るく前向きで、話を聞いていると温かい人柄が伝わってくる。なんだか「福、笑い」の絵の中に出てきそうな人だと感じた。

先日、ある広告代理店に呼ばれて講演をしました。先方から依頼されたお題は「クリエイターの自己ブランディングと実現力」。でもそもそも、もともとすごいクリエイターの人たちには自己ブランディングは不要なんです。自己ブランディングは、そうでない者たちの敗者復活戦です。そんな話から始めました。自分を追い詰めるために僕が僕に施した金髪は、もう25年になります。

地域のブランディングと個人のそれを同列に語ることはできません。ただ、ある部分、福島のブランディングもマイナスからのリスタートです。風評、風化、誤解、先入観、アップデートされない情報。そこに立ち向かわなくてはならない作業にどうしてもなっていきます。「払拭」と「再構築」がまだ常にセットです。もともとたくさんの魅力を備えた県であるのですが。

福島のブランディング、その役割は、福島に来てもらうこと、福島を知ってもらうこと、そして福島を好きになってもらうこと、その上でそれが福島に利益をもたらすこと。やはりここがベースになります。「利益」というのは、「お金」を得ることだけではありません。「愛」も、正しい「理解」を得ることも利益。福島に仲間やファンが増えることも、大きな「利益」です。

悪いところを隠していいところだけを見せるのも違います。逆に、よくないところだけを出すのも違います。光と影の両方と向き合い続けることが、発信であり、ブランディングのポイントです。

そしてそのことを実践できる座組をつくること。クリエイティブディレクターが行政の中に入っていくには相応の覚悟がいりますし、迎える側にも不安があります。「外部の人間がいったい何を始めるのか」と身構えるのも当然。双方が安心して信頼し合える体制が必要です。トップダウンとボトムアップの両輪、これは企業のブランディングにも言えることですが、組織のトップとクリエイティブディレクターと最前線の現場の三者が、本音と本気のコミュニケーションを重ねて一丸となれるか否かが鍵です。

ブランディングというものは、伝えたいことをひとつの目印に集約することだとも言われますが、僕は違うと思っています。世の中には「様々な人がいる」という前提を忘れないことが非常に大切です。人が185万人いれば185万通りの福島がそこにある。「だれかの思うふるさと」と、「別のだれかが思うふるさと」は違っている可能性があることを忘れてはいけない。そこが特定のファンとコミュニケーションする一般的なブランドとの大きな違いですね。

「福、笑い」。福島県のフラッグシップとなるブランド米のデビュー。その名に「福」の1字を冠するべきかせざるべきか、アドバイザリーボードでも長く議論を重ねました。逃げるのでなく、隠すのでなく、「福」をポジティブなものにしていかなければ、真のブランディングも復興も成し遂げられないとの結論にたどり着き、公募作の中から選出したネーミングです。様々な人の様々な笑顔を願いながら。

映像演出の柿本ケンサクさんは、被災地に鎮魂の花火をあげる「LIGHT UP NIPPON」の活動を通して、東北の人々の思いと今に直接ふれてきました。音楽担当の大友良英さんは10代を福島市で暮らし、震災後は「プロジェクトFUKUSHIMA!」の活動を続けています。語りを務めてくれた松重豊さんは会津を舞台にした大河ドラマ「八重の桜」で主人公・新島八重の父役を演じました。当時別件でご一緒した際に「箭内さん、福島のために私にできることがあれば何でも言ってください」とおっしゃったその表情を、僕はずっと忘れられずにいました。

2013年に猪苗代で開いた「風とロック芋煮会」に、寄藤文平さんは福島の子どもたちの似顔絵を風船に描きに来てくれました。「福、笑い」のCMに登場する笑顔は、あの日彼が出会った笑顔なのかもしれません。

日本屈指の表現者たちでありながら、皆それぞれに、福島への愛と深い眼差しを持った同志です。

福島県のブランディングに、東京で活躍するトップクリエイターたちを無作為にそのまま連れてくることは性急です。柿本さんや寄藤さんのように、震災のあと、そのクリエイターと福島という土地との間にすでにできていた入り口がもしなかったら、デリケートな目線と強さを併せ持つクリエイションは成立しません。経験を通した「土壌」がそこになければ、ふるさとブランディングが、地元の思いとひとつに重なりながら広がっていくことは難しくなります。卓越した技術を持つことだけでなく、クリエイター自身の心の部分を大切に、チームワークを形成してアウトプットを生みたい。

いつもそう考えています。

県広報課チームは見た

CONSTRUCTION
OF A
NUCLEA
POWER
STATIO

INCREASING
THE HEAT OF
THE NUCLEAR
REACTOR
1
2
3

オムニバス・ドキュメンタリー・アニメーション
「みらいへの手紙〜この道の途中から〜」

東日本大震災・原子力災害伝承館
プロローグシアター

その日、私は取材のため福島県庁を訪れていた。

県庁舎は阿武隈川沿いにある。本庁舎の裏手に回ると川と遠くの山並みまで見渡せた。ちょうど紅葉のシーズン。秋の澄んだ青空にいい風景が広がっていた。〝オフィス〟のすぐそばに、こんな景色があるのは贅沢だと感じた。

県庁ではこの日、ある座談会が行われようとしていた。

ここまでは主に〝つくり手〟であるクリエイターたちのエピソードをドキュメントしてきた。プロジェクトに対する県知事・内堀雅雄の考え方にもふれた。農産物流通課長の鈴木正人の話も聞いた。

だが、もう少し「現場担当者のキモチ」に迫りたい。

クリエイティブディレクターである箭内道彦やクリエイターたちに何を期待し、その成果や手応えをどう感じているのか？　行政としては本格的なブランディングのスキームを組織内でどう動かしているのか？　県内外からどんな反響が寄せられているのか？　率直な感想を聞いてみたい。

すでにこのプロジェクトは、多くの部局を巻き込むものになっているが、取材するなら、一連のプロジェクトの中軸となる広報課を経験した人の話を聞くのがベストだろう。オファーしたところ、2015年以降、広報課に在籍したことのある県庁職員が集まってくれた。川俣顕太郎・久保川芳宣・藤田尚将・平山知宏の4人である。いずれも異動で現在は別の課に所属している。取材は座談会スタイルで実施することになった。

4人にはそれぞれが担当した思い入れ深い仕事について、自由に話してもらうことにした。この中では川俣が立ち上げ時からの企画に関わっており、久保川、藤田、平山はのちに携わるようになった。

川俣　2015年に東京で開催したサミット（「ふくしまから はじめよう。サミットin首都圏」）で、知事から箭内さんに情報発信を手伝ってほしいというオファーがあり、4月から県のクリエイティブディレクターに就任いただくという流れの中で、広報課としてはひとつ大きな課題を抱えていました。

震災から5年目を迎えようとする中、風評がどうにも収まらない状況にあったんです。県の情報発信戦略担当として「これはなんとかしなきゃいけない」と思い悩む時期でした。

そのためには情報発信を強める、あるいはそれまでのやり方を改善することが必要だと思って動いてはいたのですが、各部局の発信がバラバラになってしまっていたんです。素人では限界があると痛感していました。そこで箭内道彦さんという存在が、それらをひとつにまとめる強力な〝武器〟になるんじゃないかと期待しました。

最初に着手したのは、県外発信がメインになる農産物流通課のCMです。流通課に話をしてつないだところ、箭内さんにCMの監修も手がけていただくことになり、始まったのが「ふくしまプライド。」のシリーズです。

流通課のほうでは当初、戸惑いがあったかもしれません。でも、同じTOKIOさん出演のCMでも、ガラッと印象が変わって評判がよかったんです。そこで次のフェーズとして、観光など規模が大きい施策へと展開するための地ならしを始めました。私が主に携わったのはそのあたりで、その後異動になってしまったんですけど。

久保川　私が最初に箭内さんとご一緒したのは新聞広告だったと思います（「あなたの思う福島はどんな福島ですか?」）。当時の主任と藤田くんとで担当しました。

あの新聞広告は、掲載された形になるまで結構いろんなやりとりがありまして。当初の企画からかなりブラッシュアップされたものになっているんです。箭内さんからは「県外ないし県内の人に共感してもらうためには、手紙にするのがいいんじゃないですか？」と助言をいただきました。

あの原稿が出てきたときは、正直「すげーな」と思いましたね。コピーで勝負するんだと。私は実は転職組でして、もともと雑誌やイベントなどメディアの仕事をしていたんです。その関係上、直接のやりとりはなかったのですが、箭内さんと仕事上のお付き合いはあって、彼は〝ビジュアルの人〟だと思ってましたから。広報課にいたもう一人のメディア出身の人と「これは覚悟決めたね」なんて話をしたのを覚えています。

ただ「防護服」のように、ちょっとセンシティブなワードがコピーに入っていたんですよね。行政としてそれを言っていいものかという議論もあり、そのあたりの調整に時間がかかったというのはあります。全庁から関係者にフィードバックをもらって慎重に進めました。

藤田　県からの意見を戻したときに、箭内さんからは「よかった」って言われたんです。「僕もこれでいいのか不安でした」と。県側の熱意も感じてくれたんだろうと思います。反響の大きい広告になりましたね。

久保川　ＳＮＳもすごかったんです。当時、広報課の職員が名前出しでＳＮＳ発信をしていたんですけど、３月12日にこういう広告を掲載しました、という情報を出したらFacebookにすごい勢いでコメントがついて。共感が広まっていく瞬間に立ち会えました。

川俣　広がりということなら「来て。」のポスターもすごかった。１年目に流通課のＣＭがあって２年目に入った頃、そろそろ観光はどうだろう？　と考えたんです。その頃はちょうど平山くんが観光交流課から広報課に移ってきたタイミングでした。

平山　私は広報課に来たばかりで、最初は直接携わっていませんでしたが、通常の行政の広報とは考え方が違うことにびっくりしてしまいました。

完成したポスターを見て大胆だなと思いましたね。県の観光のポスターってエリアバランスが大切で普通は複数枚の写真を使います。ひとつの場所に絞ると「なんでそこなの？」という声が出かねません。

最初の「来て。」は喜多方の鏡桜の写真１枚でしたから。本当にピンポイントですし、しかも７月の掲載ですでに季節はずれでしたからね。夏に桜のポスターを出すなんて、観光のキャンペーンでは通常ありえない話なんです。それをあれだけのインパクトで持っていったのは衝撃的でした。

その後のストーリーもすごいですよね。普通だったら「来て。」ってポスターをつくって終わりそうなものですけど。このポスターは「呑んで。」「味わって。」「住んで。」「ふくしま。」と5連ポスターにまで広がって。

久保川　県庁って各部署ごとに言いたいことがありますから、このシンプルなフォーマットで横展開できるんじゃないかと。たとえば、観光交流課だったら「来て。」ですけど、地域振興課なら「住んで。」って言いたい。

それで箭内さんに相談してみたんです。そしたら「ぜひ進めましょう」と。そこでいろんな言葉を考えて、仮の写真でレイアウトして、サンプルをつくって県庁内に提案して回りました。各所の予算をかき集めて集約的に打ち出せば、さらにインパクトのあるプロモーションになるだろうと。

平山　その後も市町村版だったり、フォトコンテスト開催やポスターに貼って使うステッカーの制作だったりと、毎年どこかしらアップデートする「県公式ポスター」になっています。そんな呼び方をしている都道府県は、たぶんほかにないんじゃないでしょうか。ある程度、いろんな課が連携してやるようになった段階で、そう名付けたんですけど。

藤田　僕が個人的に印象深かったのは、総合情報誌「ふくしままっぷ」です。自分が担当させてもらった仕事の中でも3本の指に入る大変さでした（笑）。実は発表の数週間前になっても、まだ4分の1くらいしか完成してなかったんです。まあ、あれだけの情報量を手描きでやろうという企画ですから無理もないんですけど。

「ふくしままっぷ」は学びの多い仕事でした。ラックに並んだときに手に取ってもらうにはどうするか？　ということから考えながらつくるんだと。箭内さんがまずアイデアを出し、行政はそこに載せるネタや情報を整理して、最後に寄藤さんが描く。その役割分担もうまくいった気がしますね。

久保川　過去に雑誌をつくっていた者の感覚からすると、まずこの紙でパンフレットをつくろうなんて思わないじゃないですか。自分は最初あの紙を見たとき、「え、これ選ぶの?」って言ったくらいで。でも、箭内さんは手触り感とかそのあたりまでディレクションしますよね。

藤田　あれは「タブロ」という紙で、当時は北海道の苫小牧でしかつくってなかったんです。それが温かみがあって福島のカラーに合うんじゃないかということで、その紙に決まったんですけど。我々、紙にそこまで多様な選択肢があるなんて思ってもないですから、そういうところも非常に勉強になりましたね。

平山　「もっと知ってふくしま！」の6秒CMシリーズも、新しい試みになりました。通常、公務員の感覚として、CMって15秒とか30秒だと思い込んでいるんですけど、行政がネットに配信する6秒のバンパー広告をつくるというのは、たぶんあれが初だったんじゃないですかね。

藤田　ショート・ミュージカルの「MIRAI 2061」のように長い動画ものが続いていたから、今度は短い動画にするのはどうでしょう？　という提案をしたら、「じゃあ、もう極限まで短くしたらいいんじゃない？」ということになったんですよね。

久保川　で、私が「バンパーとかどうでしょう？」って言ったら、実現してしまったんです。

「あなたの思う福島はどんな福島ですか？」（新聞広告）、「ふくしまプライド。」（テレビCM）、「来て。」シリーズ（ポスター）、総合情報誌「ふくしままっぷ」（冊子）、「もっと知ってふくしま！」（6秒動画）――4人の話からは、これまで紹介してきたキャンペーンの〝もうひとつのエピソード〟が浮かび上がってくる。

話を聞いていて感じたことがある。私が想像していた以上に現場担当者の施策に対する

〝のめり込み度〟が高い。民間から起用されたクリエイティブディレクターにリスペクトの念は抱きつつ、要所で言うべきことはきちんと言っている印象も受けた。

私の知る経験豊かなクリエイターたちは口を揃えてこう言う。「広告は依頼主（クライアント）がつくる」と。まったくもってその通りだ。硬直した現場からは人の心を動かすものなど生まれない。どれだけ優秀な人材が加勢したとしても。

福島県のプロジェクトでは、県庁職員も一緒に〝クリエイト〟している。箭内道彦やクリエイターたちに任せっぱなしにせず、彼らのスキルや経験を積極的に活用しながら、福島県や県庁組織にもたらされるメリットを最大化しようと尽力している。

話題は大規模発信に集中してしまうきらいもあるが、県クリエイティブディレクターの職務として定められた「その他の情報発信」についても、その都度彼らは細やかな助言を受けているという。大小含めた一連の活動により、縦割りの組織にフラットな横のつながりが生じているのもメリットだという。

座談会の後半ではそのあたりの話がさらに深まった。

藤田　箭内さんが県クリエイティブディレクターに就任したときは、県庁内にも戸惑いがあったと思います。情報発信の会議で箭内さんに講演していただいたんですが、これまでの広報の考え方とのギャップに、みんな驚いていましたね。風評・風化対策を議論する部局横断の会議ですが、各課の課長たちもかなり触発されたみたいで。

それから少しずつ考え方が変わってきて、県庁のいろいろな部署から箭内さんへの相談が集まってきました。東日本大震災・原子力災害伝承館をオープンするときも、プロローグシアターの方向性について県庁内でも悩んでいて、箭内さんに相談しました。

平山　毎回、進め方が一方的ではないですよね。役所の仕事って業者さんへの丸投げだったり、代理店が提案した企画の丸呑みが指摘されることもありますけど、箭内さんが絡んだものに関してはそうなってない。

みんなでいろんな話をしていく中で、ちょっとずつ変わったり、つくるものがよくなったりしていくプロセスが必ず入るんです。そういう進め方だと、僕らもチームの一員である実感が持てるし、そのことで責任ややりがいを感じられます。

ほかの課だと、箭内さんとの窓口は、課長クラスの管理職がやることが多いんですけど、広報課は歴代、僕らのような現場の担当がやることになっていて、直接のやりとりから学んだり、経験できるのも大きいと思います。

いずれにせよ行政が質の高いクリエイティブを、民間の人たちと一緒になって力を合わせてつくっていけるのは、なかなかない取り組みかな？　と思います。そこは自信を持って言えますね。

藤田　様々な仕事をご一緒する中で、ツールの幅が広がっていきました。あと、幅広い世代や価値観の人に届けられるようになったという実感があります。その効果は大きいですね。

たとえば、「もっと知って ふくしま！」は市町村の人が喜んでくれたのもうれしかったですし、自分の子どもたちもYouTubeで見てますからね。だから業務が多少大変ではあっても、やりがいを感じます。そう言えば、神田のスタジオで寄藤さんたちと音入れの作業をしたとき、終わったのが夜中の2時くらいでしたよね？

平山　そのときはまだ早かった（笑）。その前のシリーズで時間がかかりすぎたから、早く終われるよう念入りに準備して、気合いを入れて行ったら案外スムースだったんです。毎回、時間との闘いにはなりますけど、それだけ質の高いアウトプットが出るからこそ広がるし、継続するんだと思います。

川俣　本当に広がりましたよね。自分は広報課の次に危機管理課に移ったんですけど、そこでも寄藤さんと一緒に冊子をつくったんです（防災ガイドブック「そなえる ふくしま ノート」）。広報課だけじゃなく、いろんな部局にも広がっていって、県全体の広報力が上がったと思います。

藤田 僕も地域振興課に移って、いまは移住や副業の推進をやっているんですけど、6秒動画の移住版をつくらせてもらいました。

久保川 広報力もそうですし、福島のクリエイティブ全体の力も上がっていると感じます。私が東京から戻ってきた8年前からすると全然違いますね。代理店さんや、クリエイティブに携わる方たちのレベルが。

県庁に入って最初の頃、広報誌を担当していたのですが、こちらから打ってもいい手応えが返ってこなかったんです。誌面のラフを描いて「こういうやり方があるんですよ」ってイチから説明しないと、相手もどう動いていいかわからないみたいで。

ところがいまは、代理店さんやデザイナーさんに「こういうイメージなんですけど」という感じで参考になるものを見せるだけで、完成度の高いものを上げてくれます。技術や経験値だけじゃなく、仕事へのモチベーションも高くなってると思います。

いい感じに訛った4人の声が聴こえてきます。4人ともそれぞれに、かつて広報の最前線でともに力を重ねた僕の同志です。4人の中で一番遠慮深そうに見える平山さんには、「ふくしま 知らなかった大使」の発信動画で松岡茉優さんと共演してもらったことを思い出します。

「福島県クリエイティブディレクター」としての仕事は、大きくふたつの柱からなると着任当初から僕は思ってきました。ひとつは、県の情報発信そのもののリアルタイムな統括。もうひとつは、ひとつひとつの発信の共創を通して、そこに携わる職員自体が進化すること、です。

「福島県クリエイティブディレクター」という存在と役職は、もちろん永遠のものではありません。僕がいま惜しみなく注いでいる特殊なスキルと人脈が、県庁内に刺激ある体験と実績として残れば、ひとつのサステナブルな形を置いていくことができます。

情報発信だけでなく、県の様々な行政の場面で「クリエイティブ思考」がブレイクスルーの力として備わる。「福島県クリエイティブディレクター」という存在が放り込まれたことで、その異物にふれた福島県庁職員の中に潜在していた力が、各所各場面で発揮され、県自体が強くなる。いささか僭越かもしれませんが、自分の役目はそうでなければならないと考えています。内堀知事も同じように考えているはずです。

2015年、クリエイティブディレクターとして箭内が県庁に「入った」ことは、県の情報発信をより強いものにしたいという知事のリーダーシップによるトップダウンでもありました。一般の広告の仕事でも企業の社長と直接進めることのできるクリエイティブは、迅速に実現され、大きな飛距離も出ます。でもそれだけでなく、そこに、最前線の部隊にいる担当者たちのモチベーションと能力をしっかりと掛け合わせること。それが僕のクリエイティブディレクションです。

現場に強烈な自発の力を生み、それを活用すること。一人ひとりの職員にとって、僕との体験が刺激的な初めての経験となること。個々の能力がそこで最大化され、その輝きが迸（ほとばし）ること。そのスイッチを至近で押したいのです。もちろん、福島のためのより強いクリエイティブをつくり出すために。

クリエイティブディレクターにとって、みずからが率いるチームメンバーは非常に重要です。かつて「ひとり広告代理店」を掲げて独立した自分ですが、いつもそれぞれに、優秀なメンバーに支えられてクリエイティブを世に出してきました。

福島県庁はまさに、その宝庫に見えます。最前線にいるからこその思いと苦悩にあふれ、基礎能力を備え、でもそれをある種持て余してさえいる。僕が出会った職員たちは皆、福島の復興をなんとか前に進めようと本気です。僕にとって彼ら彼女らは、クライアントでもなく、まさにともに挑みともに闘う仲間です。

自分たちの仕事場に突如現れた金髪の「クリエイティブディレクター」なるものへの期待以上に、猜疑(さいぎ)や不安も当初はあったことでしょう。対決や対立でなく、馴れ合う形でもなく、緊張感は大切にしながら、警戒心を解き、新しい発信を生み出す「驚きのブレイクスルー体験」を提供し共有することが、僕のもうひとつの使命でした。

そんな中で、ひとつ大きな困りごとは「人事異動」です。県庁職員は3~4年の比較的短いスパンで他部署に異動になります。職員に複数のキャリアを積ませ、多面的な視点を育むことも狙いでしょうし、人材の交流も促進される。一人の人間が長く同じ業務を担当することで生ずる権限の占拠や癒着を避けることもできます。

ただ、こちらからすると、せっかく「特殊なスキルと人脈」を伝授している真っ最中の戦力を奪われ、リセットされ、またイチから新しい力を育て直さなければならない。平時であればそれもアリなのですが、まだ復興道半ばの非常事態、全力で走りながら続ける作業の中で、そのロスタイムは大きい。一般企業以上に縦割りの歴史が染み込んだ行政の組織において。ブランディングにも改革にも減速と巻き戻しが発生してしまいます。

最近では自分の考え方を切り替え、より多くの職員との接触が生まれる中で、より多くの開花をつくることができる、と捉えるようにしてはいますが、縦割りの組織の中に「横串を通す」のは、ブランディングを成功に導く上でも本当に重要なことだと思います。成果はアウトプットだけでなく、そのアウトプットをより強くするための仕組みづくりも含めて、なんですね。それが2本の柱ということになります。

県庁内におけるダイナミックな横串のユニットの設置はまだですが、たとえば、広報課で最初の担当だった川俣さんが、クリエイティビティを発揮して、異動先から新たな相談が来る。すると、その部署でまた目覚める職員が出現して次の発信につながっていく。そのひとつずつの広がりの中で、組織全体の発信力が増していくことは福島県にとって大きな財産になると思います。

「福島県クリエイティブディレクター」には、県庁内のすべての部局が、自局の予算を一切費やすことなく、ディレクションを依頼することができます。思いも関心もある様々な部局から入れ代わり立ち代わり相談が来ます。これもある種の横串、「ひとり横串」ですね。

県から出る丸1日の手当は規定されており、年間の総額も公表されています。安価であることに驚く方もいらっしゃいますが、自分にとっては故郷へのご恩返し。そのお金は民間人としての福島での活動に役立てています。この書籍の僕の印税も、すべて福島県に寄付いたします。

座談会が終わって県庁舎を出ると、日はとっぷり暮れていた。

ひとつの課への所属期間は人により異なる。人材も年々入れ替わる。しかし、大きな意味での福島県の〝広報〟として、彼らがワンチームを目指す意気込みが伝わってきた。

この座談会を含めて一連の県庁取材をセッティングしてくれたのは加藤崇祐。広報課の若手である。帰りがけの軽い挨拶のつもりで私は加藤に、「この庁舎の裏側は風景がよくてうらやましいですね」と話を振ってみた。加藤は笑顔を見せながらも「そうですかね?」というリアクションである。

思わずハッとした。きれいな風景も毎日のように見ていれば当たり前になってしまう。私自身、自分の身の回りのスポットは、それが魅力的なものであっても見えなくなっているだろう。それは自分自身についても言えそうだ。長所や強みを自力で発見することは難しい。馴れ親しんだ当人にとって、それは風のように透明だからだ。〝風化〟するのは災害の記憶だけではない。

ここからは、福島県のコミュニケーションにとって最大の課題と言える「風化」と「風評」について、もう少し踏みこんで考えてみたい。

２０２３年３月、県知事の内堀雅雄は、日本記者クラブが主催した会見で「光と影」「挑戦」のキーワードを用いて県の現状を説明した。

「光」は復興の進展した部分を指す。たとえば、震災後に県土の12パーセントを占めた避難指示区域は２・３パーセントにまで減った。桃や米の輸出も好調だという。一方「影」の部分としては、ＡＬＰＳ（アルプス）処理水や中間貯蔵施設の問題、燃料デブリの取り出しなど、東京電力福島第一原子力発電所の事故によりいまなお続く影響を挙げている。

ブランディングの作業では通常、企業や商品の影にフォーカスすることはない。対象を「ポジティブなイメージで演出する」ことが重要だからだ。しかし、福島県の情報発信では、この両方に向き合う必要がある。

なぜか？　復興が進んだということで光の部分だけにスポットを当てれば「風化」が進む。もう大丈夫だから過去は忘れようという空気が醸成されかねない。一方で、影の部分にフォーカスすると「風評」が激しくなるかもしれない。

現実には福島だけでなく、あらゆるブランドや地域、人に光と影、あるいはコインの裏表がある。いいことづくめのブランドなどありえない。オープン化が進む情報環境においては、これまでの広告が見て見ぬふりをしてきた影や裏側を、どう伝えていくか？　がひとつの試金石になる。自分たちに都合のよい情報だけを一方的に発信していても、受け手に見抜かれてしまう時代である。光と影を併せて〝見える化〟する、そのことで真正性の高いコミュニケーションを行うことが、社会から求められるようになっている。

しかし、影の部分の発信はデリケートで難しい。さじ加減をひとつ間違えれば、積み上げたブランド価値を毀損しかねない。

福島県は、影の部分の発信にも目を背けてはいない。たとえば2016年、箭内道彦は県が主軸となって制作した10本の短編アニメからなる「みらいへの手紙～この道の途中から～」（制作・福島ガイナックス　※現ガイナ／総監督・浅尾芳宣）に携わっている。高校生が始めた「がれきに花を咲かせようプロジェクト」や震災報道のあり方に思い悩むジャーナリストのエピソードなど、10篇は実話に基づいている。アニメーションという表現は子どもから大人まで親しみやすく、重いテーマへのハードルを下げる面もあるだろう。

箭内は2020年9月、双葉町にオープンした「東日本大震災・原子力災害伝承館」のプロローグシアター映像の監修も務めている。ふるさとのブランディングを考える際、「伝承」もまたひとつの大きな課題である。

知らなかった
MIRAIへ

MIRAI
2061

ふくしま
知らなかった
大使

ふくしま
知らなかった
大使
かめ丸

ショート・ミュージカル・ムービー
「MIRAI 2061」

「ふくしま 知らなかった大使」
現地視察篇III　ロボットテストフィールド
現地視察篇XII　猪苗代湖

「MIRAI 2061」（2018年）も広報課が主体となって制作した発信動画。東日本大震災から50年後の福島を描いたショート・ミュージカル・ムービーです。

東京電力福島第一原子力発電所の廃炉作業はいつ完了するのか？ その作業に着手した際に「40年かかるか、50年かかるか」と言われていました。事故から12年がたちましたが、いまだ確実な工程が示されているわけではありません。

メディアや会合での発言、通常の会話の場面でも、僕はあの事故を「東京電力福島第一原子力発電所の事故」と必ず呼ぶようにしています。「福島原発事故」や「原発事故」でなく。責任の所在と事実は曖昧にすべきでないと考えるからです。首都圏が使う電気を送っていた、東京電力福島第一原子力発電所の事故です。

震災の前から、僕はずっと広告の〝製造者責任〟を考えてきました。依頼された仕事の商品を無条件に褒めそやすのではなく、その企業やブランド、商品への強い共感が自分の中にないのであれば、仕事を受けるべきではありません。広告主に問題があれば、その広告をつくり、世の中に薦めた広告制作者も連帯してその行為が問われます。広告づくりを引き受けることは、非常に重いことなのです。

2009年に関西電力から僕の会社に原発広報の仕事の依頼があったときも、丁寧にお断りしました。僕なりに〝製造者責任〟を考えての判断でした。

僕の仲間にも親が東京電力で働いている友人もいれば「NO NUKES」を叫ぶミュージシャンもいます。猪苗代湖ズのベーシストでもある渡辺俊美が育った富岡町は東京電力福島第一原子力発電所から10キロ圏内。ご両親は、震災後は埼玉に住んでいます。

2013年の冬にNHK「福島をずっと見ているTV」の取材で東京電力福島第一原子力発電所内に入り、そこで日夜廃炉作業を続けてくださる方々からその胸中もたくさんうかがいました。そのたびに原発の問題は本当に複雑であると感じてきました。

県の復興にとっても避けては通れない課題。知事も議会も東京電力福島第二原子力発電所を含む廃炉の方針を明確に掲げています。福島県に原発はもうつくらせないという強い意志を表明しています。

しかし、その政策では手ぬるいという意見の人たちもいます。国および東電のやり方や姿勢に反対するために「福島は終わった場所」と位置づけたがる人たちも存在します。

でも、決して忘れてはいけないのは、そこに暮らす人たちがいるということ。住民にとってネガティブな〝レッテル貼り〟は苦しみでしかないんです。行政は住民に寄り添い続ける存在。僕も県クリエイティブディレクターに着任する以前から、そのスタンスで様々な場面に向き合い続けてきました。

ただ、分断は根深いです。２０１５年、広野町に「県立ふたば未来学園」(開校当時は高等学校、現在は中高一貫校)が創立されたとき、谷川俊太郎さんの作詞で僕が校歌を作曲するなどお手伝いをしました。その際にも「そんな場所に学校をつくるなんて」という声が出ました。

しかし、そこにいる子どもたちにも教育を受ける権利があります。学校は必要です。この溝を一体どうすればいいのか？　考え続けています。

ひとつヒントになると思ったのは、「未来」をできるだけ具体的に思い描き、そこからの逆算で現在を考え、伝えるということ。当初の予測の通り、廃炉作業に50年かかるのであれば、震災から50年たった２０６１年の福島は、一体どんな福島なんだろう？　変わるものと変わらないもの、その未来を詳細にイメージしてみることで、向かう方向に対する

2061年のラヴソング

あの年
ふるさとが大怪我をしたの
知ってるわよね
あれはわたしがちょうど
今のあなたと同じ年のころ

失われてしまったたくさんの光
見えないものに駆られた不安
どうしたらいいかわからなかった
人と人

わたしがおじいちゃんと出会ったのは
それから少し経ってから
お似合いでしょ今でも
お酒とお寿司が大好きな
弱さを知ってる強い人
そしてあなたのお母さんが産まれたの

ラララ ラララ
ルルル ルルル
ルルル ルルル
ラララ ラララ

あの年
ふるさとが大怪我をしたの
知ってるわよね
あれはわたしがちょうど
今のあなたと同じ年のころ

事実を見つめて知識を備えて
助け合い支え合った日々
前を向いて溝を埋めた
人と人

やがてあなたのお母さんが
大人になって恋をしたのは
パンとカフェオレが大好きな
弱さを知ってる強い人
そしてかわいいあなたが産まれたの

ラララ ラララ
ルルル ルルル
ルルル ルルル
ラララ ラララ

あの年
ふるさとが大怪我をしたの
時間をかけて
長い作業を重ねて
発電所もやっと眠りについた

明日は来ないかもしれない
そう思いながら大事に大事に
一日一日を歩いて来た
人と人

あの歌、あなたにおしえてあげたいな
わたしを笑顔にしてくれた歌
ねえいっしょに歌いましょ
お寿司とカフェオレが大好きな
おばあちゃんの大事な孫娘
五十年前のわたしによく似ている

ラララ ラララ
ルルル ルルル
ルルル ルルル
ラララ ラララ

あの年
ふるさとが大怪我をしたの
知ってるわよね
あれはわたしがちょうど
今のあなたと同じ年のころ

作詞：箭内道彦
作曲：藤井敬之
歌：遠藤奈津美

福島と自分たちの現在地を確認し、共有できるのでは？　それこそがいま必要なことなんじゃないか。

その気づきが「ＭＩＲＡＩ　２０６１」の出発点になりました。

映像にはおばあちゃんと、お母さんと、孫娘の３世代が登場します。僕がパーソナリティを務め、毎月県内59市町村をめぐる公開ラジオ番組「風とロックＣＡＲＡＶＡＮ福島」で、石川町のあるご家族に出会いました。その３人がこのストーリーのモデルになりました。番組の中で「２０６１年のラヴソング」という歌をつくり、その歌が「ＭＩＲＡＩ　２０６１」の原案になりました。

２０１１年の震災直後には、「福島の女性はもう子どもを産むことができないんじゃないか」という不安を口にする人もいました。故郷を離れていった人も含め、その言葉に悩み苦しんだ女性たちがたくさんいます。

そんな中で、「いや、ちゃんと子どもが生まれて、孫も元気に暮らしていますよ」と、命が健やかにリレーされていく50年後を映像にしたかったんです。だからこそ、フィクションやファンタジーでなく、リアルな景色として描く必要がありました。

この映像を演出できる監督は、児玉裕一さんしか考えられませんでした。映画「ラ・ラ・

ランド」を観たときに、児玉裕一が撮りそうな作品だと感じたのがきっかけであり確信です。彼には、「福島の『ラ・ラ・ランド』をつくりたいんだ」と口説いて快諾をいただきました。

清野菜名さん、林遣都さん、勝倉けい子さん、豊嶋花さん——キャストの皆さんも3世代の物語を素晴らしい演技と歌で表現してくれました。おじいちゃん役には西田敏行さん。大スターの西田さんは僕と同じ郡山の出身。2011年に開催した「LIVE福島風とロック SUPER野馬追」では、2万人の前で「もしもピアノが弾けたなら」を涙と笑顔で歌ってくださいました。いつもふるさとを強く愛してくれて、いつも福島のみんなにとって心の拠りどころ、そういう存在です。

福島の未来と西田さん、ご一緒した仕事がもうひとつあります。

2020年9月、双葉町に「東日本大震災・原子力災害伝承館」が開館しました。様々な経緯から、そこで上映するプロローグ映像を僕が監修しました。伝承館のエントランスを入った最初の空間で上映されます。その語りを引き受けてくださったのが西田さんです。

とても難しい仕事でした。様々な思いと事実を最大公約数的に伝えることはできるのか？

展示と伝承の入り口になるスペースで、テーマにどこまで踏み込むことができるのか。着地点を探し続けました。僕が携わる福島県のクリエイティブディレクションの中で、現在も完了できていない仕事。西田さんの語りに救われました。

人々がまだ納得と結論にたどり着くことのできないあの事故から、この場所で何を一緒に考えることができるか？　慈しみと説得力を併せ持つ深く温かなあの声で、そんな呼びかけをするナレーションを書きました。全文を紹介させてください。

「東日本大震災・原子力災害伝承館／プロローグ映像ナレーション」

1967年。

あれは私がまだ二十歳(はたち)の時です。

日本は高度経済成長の真っ只中、国が進める原子力政策のもとここ福島県でも原子力発電所の建設が始まりました。

地元には大きな雇用を生み出したのです。

1971年3月には、東京電力福島第一原子力発電所1号機の運転が開始され、作られた電気は、毎日、首都圏に送られて、日本の成長を支え続けたのです。
そして……40年後の、２０１１年3月11日、午後、２時46分　東日本大震災。
マグニチュード９・０　日本観測史上最大規模の地震が発生しました。
福島第一原子力発電所は津波による浸水で全交流電源を喪失。
原子炉を冷やすことができねぐなって原子炉建屋が水素爆発を起こしました。
大気中に放出された放射性物質。たくさんの人が避難生活を強いられた。
今、みなさんがいる、この建物が建つここも。
あれがら長いごど、避難指示区域だったんだぞい。
それぞれが一生懸命にそれぞれの日常を取り戻そうとする中、

復興は、残念ながら、まだまだ道半ば、光もあれば影もあります。
発電所の廃炉作業はまだまだ続いて、私が生ぎでるうぢに見届けられっかどうか。
無理がも知んにな。

震災のこと、事故のこと、復興のこと、これからの未来のこと。
この場所でみなさんと一緒に考えることができたら、
そう思って、います。

ウェブ動画はふるさとブランディングにおいても有効な媒体になりうる。実際、２０１０年代の後半、全国各地の自治体が、地域の魅力をＰＲする長尺動画を盛んにリリースしていた時期があった。

ウェブや街頭ビジョン等での限定公開ムービーなら、テレビでオンエアする場合と比較して媒体費を低く抑えられる。そのぶん制作費を少し頑張ってクオリティの高い映像をつくれば、ＳＮＳなどでの広がりも期待できるだろう。

ＳＮＳで積極的に情報を取りに行くメイン層は若い世代と想定される。人口減少や産業空洞化の課題を抱える自治体が、特にアプローチしたい人たちだ。限られた予算を効果的に投じるツールとして、ウェブ動画は理にかなっているとも言える。

こうしたメディア環境の変化も背景にあるのか、ある時期には、これまでの行政のお堅いイメージとはひと味違う凝った映像や面白い動画が制作され、中にはニュースやワイドショーなどで取り上げられるものもあった。そうなるとさらなるＰＲ効果が期待できる。

「ＭＩＲＡＩ ２０６１」もこの流れの中で登場したムービーだと思う。エンターテインメントの王道とも言える「ミュージカル」仕立てを採用したのも、若い世代の視聴者を意識してのものかもしれない。だが、これが世間の注目を集めた他地域のPR映像と異なるのは、「世代を超えた伝承」というテーマに向き合っているところだ。

「MIRAI 2061」はこんな物語である。

2061年夏。主人公ひかり（勝倉けい子）は、孫娘のみらい（豊嶋花）と福島の名所「憩の丘」を散歩していた。見晴らしのよい丘の上からは、近未来の街並みも目に入る。

おやつを食べたくなったみらいが、腕につけたデバイスに話しかけると、ものの3秒ほどで、郡山市発祥の名物パン菓子「クリームボックス」がドローンによって運ばれてくる。福島の〝ソウルフード〟とも言われるご当地グルメである。

時代の変化に感慨を覚えたひかりは、自身も腕のARデバイスを操作し、50年前の姿（清野菜名）に戻って、みらいに話しかける。

「あの年、ふるさとが大怪我をしたの。知ってるわよね？　あれはあなたのお母さんが生まれるちょっと前」

そう言うやいなや、ひかりは歌い始める。

「♪失われてしまった　たくさんの光　見えないものに駆られた不安　どうしたらいいか分からなかった人と人」

その後はミュージカルシーンの中で、おじいちゃん（西田敏行）との出会いや、みらいの母（この役も清野が演じる）と父（林遣都）のエピソードなどを歌と踊りで語り伝える。

その〝家族史〟のあいまに、この半世紀のあいだに進んだ復興を示唆する背景映像、近未来のJヴィレッジや猪苗代湖（はくちょう丸）、伝統行事「相馬野馬追」のシーンがインサートされていく。

やがて日も暮れ、二人は環境水族館「アクアマリンふくしま」を訪れる。ひかりは再びみらいにこう話しかける。

「あの年、ふるさとが大怪我をしたの。時間をかけて長い作業を重ねて、発電所もやっと眠りについたわ」

そう言って静かに歌う。

「♪明日は来ないかもしれない　そう思いながら大事に大事に　一日を歩いて来た人と人」

一見楽しそうな歌とダンスの中に、さりげなく織り込まれた伝承のメッセージに着目したい。実際のところ、この映像が挑んでいるのは「風化」という課題なのだ。

風化は見えないままに進んでいる。

２０２２年に、ＮＨＫが岩手・宮城・福島の沿岸地域と原発事故による避難指示がかつて出された地域に住む１０００人を対象に行ったアンケートでは、63パーセントの人が「ややそう思う」も含めて「風化が進んでいる」と回答したという。

震災を知らない世代に、記憶をどう伝承するのかは被災地の重要課題とされている。記憶をリレーすることは地域にとって大切だ。それは教訓となり、備えを拡充させ、コミュニティの紐帯（ちゅうたい）ともなる。結果として命を守るセーフティネットとなる。

だが、伝承は容易ではない。「あの大災害を忘れるな！」と言われて人は覚えておこうと思うだろうか。つらい記憶は早く忘れたい人も多いのではないか。だれもそれを強要することなどできない。

一方で、記憶というものは、一日一日の家族の暮らしの中で自然に受け継がれていくものでもある。「ＭＩＲＡＩ　２０６１」には、まさにそんな風景が〝見える化〟されていた。

「ＭＩＲＡＩ　２０６１」の映像を演出した児玉裕一はこう話す。

「お話をいただいて『わかりました』と即答したものの、最初は内心怯（ひる）んでいましたね。50年後の世界なんて考えたことないですから。でも、つくっていくうちにディテールを突き詰めるより、『変わらないもの』を考えていけばいいんだとわかってきました。

描くのは未来ですから、CGで表現した風景が多いんです。主にスタジオのグリーンバックで撮影しましたが、ロケハンもしています。震災の慰霊碑が立つ浪江町の高台が印象的でしたね。海沿いに植えられたばかりの苗木の防風林も、50年後には大きくなっているだろうと想像が膨らみました。

その中で意識したのは、ある土地に人が生き続けていくのはどういうことだろう？　ということ。たとえば、相馬野馬追のような伝統文化も人とともに継承されていきます。その感覚を映像で表現できたらと考えました。

この仕事をする中で僕自身、新たな視点も得られました。以前は1年後の自分も想像できなかったんですけど、日本という国やふるさとはずっと続いていくんだなということに実感が持てるようになり、その中で変わってほしいことと変わってほしくないことが見えてきたんです。こういう感情を〝希望〟と言うのかなと思いました」

希望は現実に向き合うことから生まれてくる。それは忘却からは生まれない。東京電力福島第一原子力発電所が〝眠りにつく〟のはいつの日だろう？

2021年に始まった「ふくしま知らなかった大使」は、コロナ禍の中でのスタートとなり、撮影などの作業に様々な困難が生じました。リモートでのディレクションは、新しい話法づくりでもありましたね。

このキャンペーンは「知らなかった大使」として松岡茉優さんが、福島のいろんな場所を訪れ、様々な福島を知っていく中で感じる驚きや喜び、自身にとっての発見を伝え、視聴者にシェアしていくシリーズです。

2015年からの一連のプロジェクトを振り返ると、年を経るごとにアプローチが増えていったと言えますし、このキャンペーンのようにある種ソフトなコミュニケーションもできるようになったと感じます。

「ターゲット」という言葉はあまり好きではないのですが、当初は伝える内容と届けたい相手が現在より限定されている面もありました。

まずは福島に対する誤解を解くということだったり、傷ついたり苦しんでいたりする人たちや、福島を積極的に応援してくれる人たちへのメッセージという部分が前面に出ていたと思います。

少しずつ「誤解が理解へ」変わっていく中で、伝える内容も相手も幅広いものになっていきました。

「無関心」ではないとはいえ、積極的に知ろうとまでは思わない。だけど機会さえあれば耳を傾けてくれる。そんな多数の人たちに向けてのコミュニケーションを考える時期に入り始めています。「知らなかった大使」は、その人たちを代表する存在なんですね。

とはいえブランディングの根っこは変わりません。まずは来てほしい、正しく知ってほしい、そして好きになってほしい。そのための〞入り口〟を様々な角度から取りつける作業がずっと続いていきます。知らなかった大使のキャッチフレーズにも「知ること。それが、ふくしまの力になる。」と掲げました。

2022年からは〞知らなかった大使〟である松岡さんが、知ったことを大好きな相手と共有するフェーズに入りました。松岡大使に誘われて、鞘師里保(さやしりほ)さんが一緒に県内をめぐり、ふくしまのいまを知っていきます。

「広告って商品を売ることですけど、それと同時に好きになってもらうことでもあると思うんです。そのときに、自分は素敵ですよ！　と見た目をよくするよりも、本質的にやっている活動が社会にいいことであれば、本当に好きになってもらえるんじゃなかろうかと。シンプルな考え方なんですけどね」

そう話すのは並河進（電通）。肩書きはコピーライターでありクリエイティブディレクター。福島県のプロジェクトでは「ふくしま 知らなかった大使」に携わる。立ち上げ時の「ふくしまプライド。」（2015年）や新聞広告「あなたの思う福島はどんな福島ですか？」なども担当した。

「ふくしま 知らなかった大使」は俳優の松岡茉優が、福島の各地を〝現地視察〟する様子を、5～6分ほどの映像にまとめた旅ドキュメント風のCMシリーズである。

「JR只見線」や「三島町生活工芸館」など旅行客に人気の場所だけでなく、「会津大学」「ロボットテストフィールド」「浪江町の震災遺構」といった産・官・学の施設もめぐり、関係者（県民）の話も聞きながら松岡が福島を知っていくプロセスを描く。区域の一部で避難指示が解除され始めた大熊町にも足を運んだ。

ある種〝のほほん〟としたトーンの中に、現地のリアリティがほんの少し滲(にじ)み出る映像になっている。ロボット開発や水素製造など、福島県は被災地発のイノベーションに力を入れている。2011年に時計の針を戻せば、このいまはすでに〝MIRAI〟だ。

「ふくしま 知らなかった大使」の企画はどのように生まれたのか？ 並河によるとこうだ。

「県庁と箭内さんからのオリエンテーションとしては、福島のことを応援している人はいるけれど、まったく関係ない人もいて、そこのギャップというか温度差みたいなものが広がり始めていると。もちろん、応援してくださる方は大事だし、そこはずっとコミュニケーションをしていく部分なんですけど、いままで福島に無関心だった人たちとも新たに関係を築けるようなコミュニケーションを考えたい――というお話でした。

でも、これ、結構難しい課題なんですよね。まったく無関係の人にまで間口を広げるというのは。それでいくつか考えた案の中でひとつ、箭内さんに『可能性があるね』と言われたのが、いまの方向性の企画だったんです。

つまり、観光大使って普通、地元にゆかりある人がなるんですけど、全然関係ない人が、なぜか急に福島の観光大使に任命されて戸惑う、それをドキュメント風に描くのはどうだろうと。

ただ、『観光大使』って言ってしまうと、扱えるのが観光の話題だけに限定されてしまいますからね。まったく新しいタイプの大使にできないかと思っていたところに、箭内さんのほうから『知らなかった大使』というワードが出てきました。

『知らなかった大使』なら、知らなければ知らない人ほどいいわけです。そしたら、見ている人も『知らなくていいんだ!』って思えますし、『知らないからこそ知ることができる』というプラスの物語に持っていきやすい。そういうやりとりから出発して、松岡茉優さんに大使に就任いただいたという流れですね」

ひとつひとつの映像をつくるにあたって重視していることも聞いてみた。

「箭内さんがよく口にする言葉ですけど、光と影の両方を見ていくということですね。でも、それで暗くなるわけではなく、知らなかったことを知るのはシンプルに素敵なことだと感じられるものにしたいんです。

そのため表現の上で大事にしているのは、やさしく包むような空気感とある種の〝エモさ〟です。知らなかった大使が福島のいろんな場所をめぐって、単純に知識が増すだけではなく、体験することで得られる五感的なもの、言語化できない思いも含めて『感じながら知っていく』、その変化を描きたいと。

映像の監督はペンナッキーさんという若手ですけど、彼はそのあたりの機微の捉え方が自然ですごくいいですね。２０２２年からは福島をちょっと知るようになった松岡さんが、自分の大切な人（鞘師里保）を誘って一緒にめぐるという設定になっているんです」

並河にはもうひとつ聞いてみたい話があった。

広告業界で並河は、10年以上前から「ソーシャルデザイン」を提唱してきた人として知られる。これは企業がマーケティング活動の一環として、社会課題の解決を目指す取り組み全般を指す。

たとえば、トイレットペーパーなどの売り上げの一部で、東ティモールのトイレ普及を支援するネピアの「千のトイレプロジェクト」（２００８～２０２１年）。世界には汚れた水とトイレの不備から体調不良になり、命を落とす子どもたちもいる。農村部のトイレ普及を推進することは、地域のウェルネス向上にもつながる。

あるいは毎年3月11日に「３・11」とヤフーなどで検索すると、一人につき10円が復興支援に携わる団体へ寄付される活動をご存じの方も多いだろう（「Search for 3.11」）。これはヤフーが始めたプロジェクトだ。２０２１年からはＬＩＮＥとの共同企画となっている。

並河はこうした仕事に多く携わってきた。個人としても基金を立ち上げて「ごしごし福島」ほかの支援活動を続けている。

欧米圏では企業が〝ソーシャルグッド〟な発信や取り組みを行うことは、いまやブランディングの主流だ。社会の〝溝〟は福島だけの課題ではない。それは世界がいま直面しているテーマでもある。社会貢献の取り組みは決してきれいごとではなく、組織がサステナブルの時代を生き延びるための戦略という面もある。

公益性を第一義とする行政組織と民間企業のコミュニケーションを同一レイヤーで語ることは難しい。だが光と影の両方に向き合い、溝を超えることをゴールに据える福島県のブランディングには、世界の潮流にシンクロする部分もあると私は感じている。

そのあたり並河はどう考えているのだろう。彼の場合、ソーシャルグッドへの意欲はどこから来るのか？　聞いてみたところこんな答えが返ってきた。

「切迫感ですね。昔のクリエイターは、社会にいいことをするのは偽善だと感じる気恥ずかしさもあったと思うんです。ただ、東日本大震災は東京も大きく揺れましたし、原発事故も自分の生活と地続きのところでこんな大きな問題が起きることがわかった。だからもう恥ずかしいなんてことを言ってる場合じゃなくなったというか。

震災で僕らは、表現として素敵に見せる行為の頼りなさみたいなものを感じましたし、クリエイターならだれしも表現って難しいなって考えたと思うんです。伝えることの無力さを味わいましたよね。それでもできることってなんだろうと考え続けてきました」

ヤフーのプロジェクトが始まった2014年、すでに「風化」は深刻な課題として捉えられていたという。震災の記憶は社会の中で早くも薄れ始めていた。

コミュニケーションを担当した並河は当初、不安も感じていた。「反応はそれほどないかもしれない」と。だが、プロジェクトの反響は大きく翌年以降も継続。2023年は、のべ人数で約1252万人が参加している（ヤフー検索とLINE Searchの合計）。「検索するだけで支援」の手軽さは、知らなかった人たちをも動かす。並河は言う。

「人は自分にできることを探してるんだと思います。福島や被災地のことをあまり知らなくても、できることがあれば参加してくれます。この企画に携わって気づいたことがあるんです。風化って実は忘れることじゃないんですよね。『できることが何もない』という思いにとらわれること。みんながそう感じ始めた瞬間、風化が始まるんだろうなと」

• ひとつ、ひとつ、
実現するふくしま

ひとつ、ひとつ、
実現する
ふくしま

福島県新スローガン
「ひとつ、ひとつ、実現する　ふくしま」
ロゴ

デザインフラッグ「アイランド」

福島県には、2012年に制定された「ふくしまから はじめよう」というスローガンがありました。たまごをモチーフにしたシンボルマークとともに使用されていたその言葉は、復興へと立ち上がる県民や企業団体の背中を押しました。その後、一年一年、歩みを重ねる中で、すでに「はじめている」動きもあちこちに見えてきました。

たまごの殻を内側から破り、新しい行動を起こしている場面の多くある中で、「はじめよう」というスローガンを現在形にアップデートして、そろそろ次のステージに進む時期だとも感じていました。

スローガンを重視したのには理由があります。2013年に「風とロックLIVE福島CARAVAN日本」で全国各地をめぐったとき、復興を支える言葉の大切さを知りました。

広島と長崎は戦後、「平和」という言葉を掲げ、それが人々が前に進む拠りどころになったという話を聞きました。だとすれば福島はどういう言葉をこれから掲げていくのだろう？

そのことが、僕の中でずっと宿題のようになっていました。

震災から10年のタイミングで、県の中長期計画のスキームの中で、新しいスローガンを発表することになり、その企画・監修の依頼を受けました。

これまで福島で感じてきたこと、考えてきたことのすべてを集約し、未来を指すのは、福島県クリエイティブディレクターが背負わなくてはならない仕事だと覚悟をしました。「ふくしまからはじめよう。」からバトンを受け、「はじめる」から「かたちにする」へ。その決意と成果を表明したいと行き着いたのが、「ひとつ、ひとつ、実現する ふくしま」です。内堀知事のこれまでのすべての会見や挨拶、県議会の議事録など含め徹底的にリサーチをしながら、今とこれからの福島にふさわしい言葉を考え抜きました。

未来を志向するスローガンには「挑戦」や「チャレンジ」といったワードがよく使われます。でもその類の言葉では、意気込みを掲げただけにもなりかねない。

現在進行形の復興を歩む福島に必要なことは、みんなで共有できる「合言葉」。たくさんの人の努力によってすでに形にされている成果を確認できる言葉。そしてその上に具体的に進展する物事の積み重ねを実感できる言葉。実直に、現実に、実らせ続ける。その意味で「実現」が適切でした。内堀知事にお送りすると、「ドンピシャです」と返信があり、ホッとすると同時に確信が固まりました。

このスローガンは直接的な復興だけを伝えたいのではありません。「かたちにする」ことはそれぞれに様々であっていい。たとえば、小学生が昨日できなかった逆上がりが今日できるようになることも「実現」。たとえば大切な相手に、言えなかった思いをやっと声にできたことも「実現」。そういう「ひとつ、ひとつ」のすべてが、福島が前に進む力になるはずです。一人ひとりにとっての自分ごととしてこの言葉を届けたい、そう思いました。次に挙げるのは、２０２１年3月12日、新聞広告に掲載したステートメントです。

平らな道ではありませんでした。
真直ぐな道ではありませんでした。
復興は、まだ道半ば。ひとりひとりが
それぞれの日常を丁寧に、歩みながら。

Not a Dream.

希望も、夢も、現実となるその日を
作るための入口なのだと思います。

はじめる、から、かなえる、へ。

チャレンジの卵の、その殻を破り、
生まれるものたち。それぞれの場所、
それぞれの思い、それぞれの歩幅で。
ともに思い合いながら。

ひとつ、ひとつ、
実現する
ふくしま

ウェブ動画やCMでは、このステートメントをプロの声優やナレーターでなく、エアレースパイロットの室屋義秀さんに読んでいただきました。素朴で、誠実で、力強く、優しい語りです。世界チャンピオンであると同時に、福島市在住の県民でもある室屋さん。彼が挑み、形にし続ける成果と実直な人柄も、「ひとつ、ひとつ、実現するふくしま」を形成するピースのひとつです。室屋さんは「Fly for ALL #大空を見上げよう」というプロジェクトで、日本各地の上空にニコちゃんマークを描く活動も独自に続けています。

室屋さんをはじめ、福島に思いを寄せる著名人の方々による「ひとつ、ひとつ、実現するふくしま」応援団。思いを重ねる「ひとつ、ひとつ、実現するふくしま」広報隊も、2023年3月現在で4万人以上の方々が志願してスローガンを広げてくださっています。寄藤文平さんデザインのロゴは、県内のたくさんの場所や場面で目にすることができます。県発信の様々なCMやウェブ動画の末尾には、ムービングロゴとしてアニメーション化したスローガンを必ずつけています。行政のCMとしては珍しい手法ですが、そのひとつひとつも、「実現するふくしま」。県からの情報発信に統一性と連帯性と蓄積効果を生み出す狙いもあります。

スローガンやシンボルマークは、ブランディングにおける〝最強ツール〟と言っていい。企業であれ、非営利団体であれ、行政であれ、ほとんどの組織が言語化された理念やそれを表現するロゴを、コミュニケーションの様々なシーンに用いている。

人がそれを目にするのは毎回一瞬だったりする。しかし様々なシーンで継続して用いることで、一定のイメージが共有されていく。やがて社会はそのメッセージをブランドの〝人格〟(アイデンティティ)と見なすようになる。

この手のクリエイティブで、たぶん世界一有名な成功例は、ナイキのマーク「スウッシュ」とコピー「Just do it.」の組み合わせだ。商品から広告まで、世界中の様々な場所で人々はあのマークとコピーを目にし、ほぼ無意識にそのブランド哲学にふれている。

以上は教科書的な解説である。

現実はそうスムースにいかない。当たり前の話だが、ひとつの「何かを言う」ことは、それ以外の「何かは言えない」ことを意味する。

しかし、組織には伝えたいことがたくさんある。メッセージをひとつに集約しようとしても、どうしてもそこからこぼれ落ちてしまう要素が出てくる。ひとたび「Just do it.（すぐやろう）」と言ってしまえば、石橋を叩いて渡るタイプの人格は諦めなければならない。何かを言うのは勇気がいる。

よってこの種のスローガンでは、玉虫色のコピーが採用されるケースがまま見受けられる。何かを言っているようで実は何も言ってない。〝お飾り〟としてのスローガンである。ブランディングを考える人は、決してスローガンを軽んじてはならない。内と外に向けて繰り返し用いるうち、本当にブランドはその方向を目指す。これはある種の言霊（ことだま）であり、ブランドの本気・本音・本質がそこに宿る。

福島県が「はじめよう」から「実現する」に至る道のりは長かった。震災から5年の2016年頃から、新スローガン策定は県庁内でも議論されてきたという。その都度、時期尚早という結論が出て、10年の節目に実施することになった。だが、代わる言葉はそう簡単に見つかるものではない。

すでに「はじまって」はいる。しかし、まだ道のりの途上。今後に向けての意志をも示したい。福島県の未来を指さすのに適したスローガンとは何なのか？　そんな問いかけを幾度も繰り返すことから、「ひとつ、ひとつ、実現する ふくしま」は誕生している。

スローガンをビジュアル化するデザインも重要だ。多くの場合ビジョンは、スローガンの理念を表現するシンボルマークとして別に制作される。「ふくしまから はじめよう。」の言葉の隣にたまごのマークを配したように。

だが、「ひとつ、ひとつ、実現する ふくしま」では、スローガンの言葉そのものをビジュアルと一体化する手法が採用されている。

デザインを託されたのは寄藤文平だ。寄藤は言う。

「箭内さんは、ゴールまでの道筋がわかるような見え透いた方針のつくり方をしないんですね。この仕事では、箭内さんから『ポップだけど真剣』というキーワードをもらっていて、それが方針であり起点でした。なんとなくその気分みたいなものは理解しつつも、具体的にどういう形になればいいのか、まったくわかりませんでしたね」

繰り返されるやりとりの中で、寄藤はブレイクスルーを見出した。こんなビジュアルアイデアである。

「〝七夕の短冊〟です。『ひとつ、ひとつ、実現する ふくしま』という言葉を、あの短冊みたいに表現したらどうだろうかと考えました。七夕の飾りつけって、パッと見て素直にキレイですし、元気が出るし、『願いを託す』ということが、明るくて楽しいものとして表現されていますよね。あんな気分のロゴになったらいいなと思ったんです。

文字は、いろんな色紙を作って、小さく切って、台紙に置いてつくりました。貼ってしまうと動かせないので、置くしかないんです。呼吸の息でも飛んでしまうので、そっと写真に撮って、すこしずつ調整を繰り返していきました。『ポップだけど真剣』という言葉が、うまく形になったと思いますし、箭内さんも喜んでくださいました。本当に緊張する仕事でしたが、うまく着地できたように思います」

スローガンと同時につくられたデザインフラッグ「アイランド」は、人や赤べこ、県の鳥「キビタキ」、そして山や町の風景をパーツとして福島県の形を表している。

福島県知事・内堀雅雄はスローガンへの期待をこう話す。

「震災後しばらくは『がんばろう　ふくしま!』、その翌年からは『ふくしまから　はじめよう。』のスローガンを使ってきました。頑張ること、始めることも大事です。でも、今後さらに大切になるのは『実現』なんですね。つまり、形にしてなんぼ。成果を出すことを重視するフェーズだと思います。

課題は様々にありますが、『ひとつ、ひとつ』着実に積み重ねていく。そんな日々の努力の先に真の復興がある。それは必ずできるというメッセージも秘めた未来志向のスローガンなんです」

内堀はこのスローガンに、こんなメッセージまで読み取っていた。

「これは私個人の解釈ですが、このスローガンはビジュアルも含めた全体として『SDGs』そのものを表現しているんだと思います。多様なサイズ・色・形の要素で構成されていますよね。

つまり、いろんな形があっていい。いろんな大きさや色があっていいんです。一人ひとりは違うけれど、みんなの力が一緒になって初めて『ひとつ、ひとつ、実現する ふくしま』になるんだと。そんなメッセージまで伝わってくるんです」

「ふくしまプライド。」や「来て。」のツール群と同じく、「ひとつ、ひとつ、実現する ふくしま」も、掲げるだけでなくしっかり活用されている。レストランや宿泊施設など、福島の町の様々な場所でフラッグなどが掲出されているのを目にした。「ひとつ、ひとつ」の点が、〝ふくしま〟というブランドを形成していることをストレートに表現した実直なスローガンだと思う。

・クリエイターズ道場「誇心館」

FUKUSHIMA
CREATORS
DOJO

誇心館

KOSHINKAN

Michihiko Yanai

Mitsuaki Imura

Kensaku Kakimoto

Koichi Kosugi

Yuichi Kodama

Susumu Namikawa

Bunpei Yorifuji

https://fukushima-creators-dojo.jp/

福島県

ゆうやけベリー
YUYAKE BERRY
ふくしま

ゆうやけベリー
YUYAKE BERRY
ふくしま
福島県産

「FUKUSHIMA CREATORS DOJO 誇心館」
ロゴ

福島県オリジナルイチゴ
「ゆうやけベリー」
ロゴ・パッケージデザイン

この8年、福島県のブランディングに携わるにあたり、一貫して進めようとしてきたことは、全国トップレベルのクオリティのクリエイティブでふるさとを広告すること、「福島の今」を発信することでした。そのためには、通常の行政からの発信ではあり得ない、トップレベルのクリエイターの方々との連携が必須でした。

彼らは、福島の現状と課題を正しく理解した上で県民の思いを大切にしながらつくる、温かく頼りになる人たち。それぞれに福島での仕事を通じて、その難しさを知ると同時に意気に感じてくれてもいます。しかし、助っ人の力を頼りにしているだけでは、いつか限界が訪れます。福島の発信にはそこに暮らす人間だからこそできることもあり、最良の形で地元のクリエイターに少しずつバトンタッチをしていく準備のフェーズにも来ています。

そのためにも、相互刺激と連携を生む切磋琢磨（せっさたくま）の場づくりを通じた、県内クリエイター育成の必要性を以前から感じてきました。ひとつの理想形として僕がヒントにしたのは、「風とロック芋煮会」です。震災の年は、有名なミュージシャンや俳優たちが福島に元気を届けに駆けつけてくれました。いまでもとても感謝をしています。一方で「次はどんな豪華アーチストが来てくれるんだろう」という空気には若干の違和感も覚えていました。本当の復興は、やはりそこに住む地元の人たちとつくっていくべきなのではないか。そう考え、福島県在住のミュージシャンも多く参加できるような編成にシフトしていきました。

その流れで、うれしい動きが生まれました。地元有志による自発的な形がふたつ現れたのです。ひとつは「風とロック ブラスバンド隊」。風とロック芋煮会では、夕方のライブ終演後、ミュージシャン同士が福島選抜とミュージシャン選抜に分かれて野球の対戦をします。チケットを買って入場している地元のお客さんが手を挙げて、勝手にブラスバンドでの応援をはじめたのです。各ミュージシャンの代表曲を事前に練習して。

もうひとつは「福いちごポンポン隊」。各地からやってくるお客さんに事前に材料を頒布して、当日のスタンドが色鮮やかなポンポンで埋まりました。「自分たちにもできることはないだろうか」という行動が、全国から訪れる観客や出演者の笑顔をさらに輝かせ、心溶け合う素晴らしい「場」をつくったのです。

情報発信におけるクリエイティブも「一緒につくる形」に大きな突破力と可能性があると考えるようになりました。

地元のクリエイターを育成し、その活用で県の発信をさらに強くサステナブルなものにする。その思いが県と一致して実現したのが「FUKUSHIMA CREATORS DOJO『誇心館』」です(2022年)。その名は「ふくしまプライド。」を源とします。故郷への愛と誇りは、発信を人々の心に深く届けるために不可欠な素地です。福島で生まれ、福島に育ち、福島の今を生きる者にしかつくることのできない、思いに溢れたクリエイティブが、これからの福島をより強く発信できるように。

井村、柿本、小杉、児玉、並河、寄藤。これまでの県の発信に関わってきてくれた錚々たる皆さんが、師範として勢揃いしました。東京の講座でもあり得ない豪華な布陣です。カリキュラムは徹底的に実践型。各師範を囲んでチームが組まれ、塾生たちは自分たちの手で企画・制作を行い、完成した発信物を実際に世に出します。「福島県総合計画」という県の政策集と、塾生たちが日々の中でリアルに感じている課題から議論を積み、解決策を練る。県内外の力を重ねて行う「ふるさとブランディング」の実現です。

東日本大震災と東京電力福島第一原子力発電所の事故から12年が経ちました。光もあれば影もまだある福島、風化が進んでいないと言えば嘘になります。ふくしまの今を伝え続ける先に明日があります。官も、民も、官と民も、内も、外も、内と外も。ひとつ、ひとつ、実現していく先に、ふるさとの未来がある、そう思います。

岩本裕貴（ゆき）は郡山市のある広告会社に勤務している。

岩本は福島県立安積（あさか）高等学校の卒業生だ。2007年、彼女が高校3年生の秋、文化祭の前日に先輩の話を聴く講演会が企画された。ゲストは安積高校OBの箭内道彦だった。

岩本はこのときのことをこう振り返る。

「ショックでしたね。私は中学の頃から音楽をやっていたり、放送部でドラマをつくったり、福島弁で民話を語る活動をやっていたんですけど、当時はそれが〝表現〟というものだということがわかっていなくて。

でも箭内さんのお話を聴いて、自分が何かについていいなと思ったことを、周りに伝える行いが仕事や作品になるということを知りました。私のやってきたことのひとつひとつに名前があり、社会的な意味や価値があることを教わったんです」

講義では、タワーレコードをはじめ、当時箭内が携わっていたキャンペーンを教材にトークが行われた。岩本はこのとき、広告に〝つくり手〟がいることを初めて認識したという。中でも衝撃を受けたのは、福島民報の「207万人の天才。」だった。

「地方に暮らす私たち一人ひとりのことを見て、そこに可能性や希望を見出して、言葉と写真で表現するなんてすごいと感じました」

講義が終わってから生徒たちは、校長室にいた箭内にサインをもらいに行った。岩本は箭内にこう告げた。

「私も藝大に行きたくなりました」

思わず口から出たひと言だった。

「そこで人生を方向づけられましたね。ヘレン・ケラーにとってのサリバン先生というか」

岩本は翌年、東京藝術大学美術学部先端芸術表現科に入学。絵画や彫刻、工芸、建築、デザインといった領域を超えて、メディアと表現を横断的に学ぶ学科である。

藝大時代は朗読や舞台作品の脚色など、日常の言葉で交わされる芸術創作に熱中したが、アーティストになるつもりはなく、当初から就職を考えていたという。都内で就活する予定だったが、どうしても福島に戻りたくなった。

春休み、地元の進学塾の入社試験を受けていたそのとき、東日本大震災が起こった。

当時、先がまったく見えない状況の中、日本中の多くの人がそう感じたように、岩本もふるさとのため何か力になることをやりたい衝動にかられた。できることは朗読だった。

そこでYouTubeにチャンネルを開設、「福島さすけねProject」と命名し、福島の民話や地域にゆかりの詩を朗読した。「さすけねぇ」とは「大丈夫」を意味する方言である。

3夜目に公開したのが高村光太郎の「樹下の二人」だ。

「智恵子は東京に空が無いといふ」のフレーズであまりに有名な『智恵子抄』に掲載されている。これは光太郎が智恵子の生まれ故郷、福島県二本松を訪れたときの情景をのちに思い出して書いた詩である。智恵子は酒蔵の娘だった。松の木の下で二人は風を感じながら遠くの山や川を見ていた。

岩本はワンフレーズごと噛み締めるように、たっぷり間を取って読んだ。

あれが阿多多羅山、あの光るのが阿武隈川。

ここはあなたの生れたふるさと、
あの小さな白壁の点点があなたのうちの酒庫。
それでは足をのびのびと投げ出して、
このがらんと晴れ渡つた北国の木の香に満ちた空気を吸はう。

あなたそのもののやうなこのひいやりと快い、
すんなりと弾力ある雰囲気に肌を洗はう。
私は又あした遠く去る、
あの無頼の都、混沌たる愛憎の渦の中へ、
私の恐れる、しかも執着深いあの人間喜劇のただ中へ。
ここはあなたの生れたふるさと、
この不思議な別箇の肉身を生んだ天地。
まだ松風が吹いてゐます、
もう一度この冬のはじめの物寂しいパノラマの地理を教へて下さい。

あれが阿多多羅山、あの光るのが阿武隈川。

光太郎は智恵子の中にふるさとを感じ、ふるさとの中に智恵子を見ている。人と風景が一体化した繊細な心象のスケッチ。岩本は明日さえどうなるか見えない黒闇の中で、この詩を朗読していた。

この詩を読んで私はこう思った。「東京電力福島第一原子力発電所」の事故が傷つけてしまったものの中には、日本人にとって大切なふるさとのこんな〝原風景〟まで含まれている。もうひとつ感じたことがある。広告というビジネスは、もしかすると光太郎が言う〝人間喜劇〟そのものかもしれない、と。しかし、そんな営みが、傷ついた光太郎を癒したふるさとの風のような「すんなりと弾力ある雰囲気」を生み出すこともある。

岩本を気遣った東京の仲間からはこんなメッセージが来た。「こっちに来なよ。福島、もうダメだから……」。一体何が〝ダメ〟なのだろう？　私はここで暮らしている。優しくそう言ってくれるのが、逆につらかった。

彼女はやがて転職を決意する。言葉に関わる仕事がしたくて、塾の国語講師になったのだが、職場で生徒たちに教える言葉と、自分の人生を動かした言葉、その両者のギャップは誤魔化しきれないほど大きいと気づいた。

その後、入社したのが地元の広告会社だ。地元企業から行政まで、プランナーとして様々な案件に関するコンセプトづくりやコピーライティング、現場でのディレクションまで広く担当している。

夏のある日、地元紙のＬＩＮＥ配信で流れてきた、ひとつのニュースが目に留まった。箭内道彦が館長を務め、県内クリエイターの育成と情報発信を行う塾の参加者募集が始まるという知らせだ。

「行かないわけないじゃん！」

岩本は応募を即決した。箭内には２００７年の高校の講義以来会う機会がなかった。ひと言その後のお礼を伝えたい気持ちもあったという。

ところで福島の人たちは箭内道彦のことをどう見ているのだろう？　個人の意見として、岩本に聞いてみることにした。

「東京にいていろんな世界と接点のある人が、福島のことを私たちの目線でしゃべってくれてる、そんな感覚がありますね。特に震災以降の記憶がある大人たちは、そう感じてる人が多いんじゃないでしょうか。

テレビに出演されてるのを見ていても、福島の素朴さだったり県民性みたいなものを言語化してくださるのがうれしいです。それを聞くとこのままでいいんだなと思うし、『福島の人ってなんかね、あんまり出しゃばれないんだよねー』なんて言われると、『でもねー、やってかなきゃいけないですよね、自分たちで』みたいに前向きな気持ちになれるんです」

やがて自分も引退します。若い世代の人たちに、役割をアップデートしながらリレーしていくのはとても重要なこと。この土地から、新しい才能が開き、輝き、ふるさとを、世界を、しあわせにしていくことは、福島の責務であると僕は思います。

そのためにも自分の仕事とふるさとに、誇りを持てる人材とその進化が必要です。誇心館の修了式で内堀知事が「KO"SHINKA"N」と、誇心館の中に「シンカ」を見つけたと話したのが印象的でした。

震災があって、世界が福島を助けてくれました。今度はその恩返しをする番。復興を進める中での情報発信のメソッドは全国の都道府県に共有すべき資産です。

東日本大震災は多くの教訓を受け取る機会ともなりました。福島には復旧・再開のナレッジが蓄積されています。発信に関しても同様に、他県の役に立てることがあるはず。ある面、ブランディングもスキルです。

全国のそれぞれの地域には、様々な人々が様々な思いと立場を抱えながら生活をしています。ふるさとブランディングは、復興を支える役目や、地域活性を推進する可能性を内包しています。だからこそ、それぞれの課題を踏まえた戦略の構築が重要です。単純な記号ですべてを括り、人心を強引に操作しようとする手法は、ふるさとブランディングには馴染みません。機能する発信のためには、地域に生きる人々が自身のふるさとの魅力を知り、もう一度好きになるプロセスも欠かせない要素です。

「LIVE福島風とロックSUPER野馬追」が映画（「あの日～福島は生きている～」2012年制作）になったとき、総合監修を引き受けてくださった是枝裕和さんが「ポリフォニック」という言葉を使ったことにとても共感しました。「モノフォニック（単声的）でなく、ポリフォニック（多声的）に描く映画にしましょう」と。

これは僕がずっと大切にしてきた「点でブランディングする」という方法にとても近い。ブランドを「面」という単一性でなく、多様な「点」の集合体と捉えた上で、様々な声を紡ぐオルタナティブな発想です。

東京の地下鉄、東京メトロのキャンペーン（「TOKYO HEART」「Find my Tokyo.」）を、僕は長くディレクションしていますが、これも点のブランディングです。個性豊かな街の集合体である東京。その街々をどうつないで「東京」というふるさとの魅力を発信するか。その視点で考えてきました。

現在の社会も、ふるさとのあり方も多様です。まさに「ひとつ、ひとつ」の点の集積で構成されています。一括りにするのは到底無理です。だから根底に「包んでいく」発想を据える。その上で人と人の力を重ねながら進めていく。次の「点」をどこに置くか？　都度その場所を丁寧に考えながら、大きな絵を描くように点をつないでいく。

それがふるさとブランディングにおける「戦略」です。

2022年8月30日。「福島クリエイターズ道場『誇心館』」の開塾・入塾式および〝初稽古〟が福島市内で行われた。

選考で選ばれた塾生は62名。福島県を拠点に仕事をしているクリエイターたちだ。当初、30名程度を予定していたが、120名を超える応募があったため、定員を急遽増やすことになった。

入塾式には塾生たちと6人の師範が顔を揃えた。これまでのエピソードにも登場した井村光明、柿本ケンサク、小杉幸一、児玉裕一、並河進、寄藤文平である。市内のホテルで開催された入塾式では内堀雅雄知事の挨拶に続いて、師範たちが壇上でひと言述べていく。塾生代表による宣誓のスピーチもある。

代表には岩本裕貴が県庁によって選ばれた。岩本は方言を交えて挨拶した。

「2011年3月11日。私は21歳になっていた年だ。大学4年生になる年だったんだない。首都圏で就職する予定だったんだけんども、取りやめて大好きな福島に帰ってくることを決めたんだ。

私は故郷でこれからどんな言葉が交わされていくんだべか、私はそこでどんなふうに関わっていけるんだべかって、探求したかったんだ。それから11年、いまでも探求の旅は続いてるんだぞい。

今日、この日を迎えた62人の塾生、一人ひとりにこうした11年の物語があることと思います。そして福島に暮らす県民一人ひとりに、日々の生活の中でそっと抱いている様々な誇りがあるのだと思います」

箭内道彦も塾生に向けた特別レクチャーを行った。20～60代の塾生たちは話に聴き入っている。広告会社に勤める人から、フリーでデザイン・映像・ウェブなどの制作を行う人、起業して自身のブランドを立ち上げた人、テレビなど放送関連企業の社員ほか、塾生のバックグラウンドは実に様々のようだ。

開塾・入塾式のあとは早速、初稽古となる。チーム分けされた塾生はそれぞれの師範のもとへ集結。顔合わせとレクチャー、これから何をつくるのかの方向性を定めるディスカッションの時間になった。

各チームにあてがわれた部屋を覗いてみると、和気藹々（わきあいあい）とした空気である。塾生めいめいが自己紹介しながら、師範とのやりとりを楽しんだり、ワークショップに取り組んだりする姿が見られた。

だが、ひとつ、初日から自己紹介もそこそこに、完全仕事モードに突入しているチームがあった。アートディレクターの小杉幸一が率いる「小杉組」だ。このチームの部屋だけは、ほかとは異質な緊張感に包まれている。

小杉組では、先行して重要なミッションに取り組んでいた。それは福島県が10年をかけて生み出したイチゴのオリジナル品種「ゆうやけベリー」のロゴ開発である。このプロジェクトに福島県は、誇心館塾生の力を借りようとしていた。

新ブランドの本格デビューは12月。急ぐ必要がある。

「クリエイターたちが、力をぶつけて、腕を磨き合う稽古場」にふさわしい実践的な課題。「行政と市民が力を重ねて行う〝ふるさとブランディング〟」が本当に成立するのか。早速、県在住クリエイターらの力が試される場となった。

ゆうやけベリー（福島ST14号）は「かおり野」と「とちおとめ」を交配してつくられた品種。大粒で甘味が強いのが特長とされる。12月からの収穫が可能で、クリスマスや年末年始向け商品として出荷できる。公募で決定したその名の通り〝夕焼け〟をイメージさせる茜色も鮮やかだ。

事前に準備していた塾生たちは、自身のデザイン案を小杉にプレゼンしていく。それらに小杉はアドバイスしながら、進むべき方向性を探っているようだった。塾生たちの考えたアイデアやコンセプト、ビジュアルモチーフを集約して、ひとつにまとめ上げるのが師範たる小杉の仕事である。

塾生からは様々な意見が出ていた。「ふくしまの想いが伝わる『輝くイチゴ』」というコンセプト、刻々と変化する夕暮れの光をグラデーション化するビジュアル、夕陽とイチゴの輝きを同時に表現したロゴマークの基本路線などが採用されることになった。

稽古後に小杉はそれらの要素を編集し、ブラッシュアップしていった。ロゴそのものには色をつけず白抜きにすることに決めた。その意図をこう説明する。

「ロゴ自体でデザインが完結するのではなく、パッケージになったとき、店頭に並んだときに完成する視点が必要だと思ったんです。白抜きにすれば、ビニールフィルム越しに見えるイチゴが目立って、輝いているように見えるな、と。イチゴそのものを〝主役〟として見せたかったんです。

タイポグラフィー（文字デザイン）も、個性的ないいものを出してくれていたので悩みに悩みましたね。でも、最終的にはメジャー感がありつつ、手触りや優しさを感じてもらえるものとして定着しました。塾生の皆さんのアイデアの中には、表面上に現れていないものもありますが、ＤＮＡとして大切に組み込むようにしています」

12月の本格デビューイベントでは、参加を希望した塾生それぞれがオリジナルのポスターや卓上パネルなどを制作して、展示台にディスプレイ。新ブランドのＰＲにひと役買った。

秋以降ほかのチームの作業も徐々に熱を帯びてきた。

年末の中間報告では８つのプロジェクトの実施が決まった。その後の制作期間をへて、２０２３年3月には修了式を兼ねた発表会が福島市内で開催されている。そこではラジオＣＭやドラマ、映像、ウェブ企画、包装等に用いるペーパーなど、様々な制作物が披露された。これらは県の情報発信の取り組みのひとつとして実用されていくことになる。

連続ラジオドラマ「12年前のわたしへ」のようにいち早く放送されたものもある（ふくしまＦＭ・3月6日〜9日）。修了式ではそのリアルタイムのオンエアを塾生、関係者全員で聴くシーンも見られた。個別のプロジェクトについては章末に紹介したい（２４２〜２４９ページ）。

★

本書では県クリエイティブディレクターである箭内道彦と文章の往復リレーをしながら、主に2015年以降の「ふくしま」の情報発信を追ってきた。新聞広告にテレビCM、ポスターや総合情報誌、ネット動画、パッケージデザイン、スローガンなど、それぞれの企画や表現、メディアは様々だ。誇心館のような人材育成と情報発信をかけあわせる試みも始まった。「風とロック芋煮会」ほか箭内が自主的に始めたふるさと活動も継続されている。

これらの試みは一見バラバラの〝点〟にも思える。大半が現在進行中の取り組みでもある。しかし、俯瞰して眺めると、それらをつないだところに一枚の絵が描かれようとしていることに気づく。たとえるならそれは星座のようなもの。そこに新しい点が加わり、点は線になって広がり、遠くのほうの星まで加わってブランドを3D化していく。

人によっては問うかもしれない。「クリエイティブは地域の課題を解決できるのか？」「キャンペーンで情報発信したところで風評や風化対策にどれだけの効果があるのか？」と。あまりに多くの情報が氾濫し、表現での差別化も難しい時代。その懸念はもっともにも思える。だが、その見方は一面的でもある。

映像やポスターといった目に見える部分だけがクリエイティブではない。アウトプットとしてのそれらはもちろん重要だが、その奥にあるものにも目を向けたい。課題を発見し、解決に向けての戦略をデザインし、社会や地域コミュニティにポジティブな風を吹かせることがクリエイティブの役割だ。

その真の効果や影響力は目に見えない。まるで風力のようなもの。だが、個々バラバラになってしまっている活動や事業、組織同士をつないでワンチームにする潜在力を秘めている。「来て。」ポスターをきっかけに県内市町村の協働が始まったように、クリエイティブは点をつなぐ。「ふくしまプライド。」のスローガンのもと、個々の生産者の発信もやりやすくなる。これらは言わば、情報の生態系を健やかに育むための土壌づくりだ。

これからの社会には、そんな戦略を秘めた〝クリエイティブ〟がとても重要だと思う。

経済産業省が発表した「未来人材ビジョン」（2022年）では、次の社会を形づくる世代に求められるものとして次の4つが挙げられている。「常識や前提にとらわれず、ゼロからイチを生み出す能力」「夢中を手放さず一つのことを掘り下げていく姿勢」「グローバルな社会課題を解決する意欲」「多様性を受容し他者と協働する能力」――これは現代のクリエイターに求められる資質とほぼイコールである。

誇心館を見てもわかるように、ふくしまのブランディング・プロジェクトも今後は狭義のクリエイティブの枠を超えて、人づくり、さらにはその人たちが担う産業づくり、町づくり同士をつないで支援するフェーズに入っていくのかもしれない。それは私（河尻）からの明日への提言でもある。

本書では各章に、ふるさととブランディングのヒントが〝点〟のまま散りばめられている。最後にそのエッセンスを私なりに抽出して、ひとつの星座を描いてみたい。誇心館にインスピレーションを得て道場の心得風に。広告業界ではこうした心得として、営業マインドを鼓舞する「鬼十則」が有名だが、こちらは次世代のクリエイティブ魂を涵養するためのものである。発祥の地である県名からひと文字を拝借して「福八則」と名付けよう。地域の課題に向き合う人だけでなく、企業のブランドづくりに取り組む人にも参考になるかもしれない。

一、寄り添う。発信の依頼主と受け手と社会の多様性に。向き合う。寛容の精神で。愛されるブランドは包摂の物語を紡ぐ（総合マインド）

一、小さな仕事もひとつ、ひとつ丁寧に。超クオリティを目指す。その点をつないだ場所に、しなやかでしたたかなブランド像が描かれる（方法論）

一、協働し、力を重ねよう。たとえ逆風にさらされても……。横断する組織と越境を促

す仕組みが変革のエネルギーを生む。協創なき競争は実りを生まない（組織・チーム）

一、アナログツールに刷新を、デジタル技術に人間性を。ふたつの融合にブレイクスルーがある。人工知能にできないことを探せ（メディアと技術）

一、仕事への信念を持つプロフェッショナルを育てる。人とクリエイティブを見る目も鍛える。あらゆる世代が、広く外の世界に学び、時代精神を体感すべし（人材）

一、貪るな。安すぎず高すぎない公正なプライスを。個人にも組織にも持続可能な成長を（ビジネス）

一、見える効果は測定し、見えない成果をあなどらない。ブランディングの収穫はときが熟すまで（広告効果）

一、真正のプライドを育み行動で示せ。クライアントワークと自主活動を両立し、行き来せよ。本気・本音・本質の課題解決を（個人マインド）

ふるさとにいい風よ、吹け。
もっと遠くの星を目指そう。

誇心館　作品解説

ふくしまの音（井村組）

「聞いておきたいふくしまの音」にフォーカスして企画した8編のラジオCMシリーズ。生きたモクズガニをすりつぶしてつくる郷土料理「がにまき」をつくる音、世界一ロマンチックな鉄道とも言われるJR只見線に乗車した観光客がシャッターを切る音、福島市飯野町で開催される「UFOフェスティバル」にて参加者がUFOを呼ぶ声など、福島ならではの音をショートストーリーの中で紹介する。

STARS OF FUKUSHIMA（柿本組）

出版社に勤務する主人公ハマナカアイが、福島県のガイドブックをつくるため県内を巡り、地域の光と影を感じながら、「浜通り編」「中通り編」「会津編」の3冊を完成させていく架空のストーリーを描く短編映像。スマホ視聴に適した〝縦動画〟になっており、誇心館塾生が様々な場所をロケして感じた印象度を☆の数で表示。主人公はでんぱ組.ｉｎｃの元メンバー・成瀬瑛美が、その上司役をドラマーの松田晋二が演じている。

ゆうやけベリー（小杉組）

ゆうやけベリーは、福島県で約20年ぶりに開発されたオリジナル品種のいちご。ロゴやパッケージのデザインについてはすでにふれたが、ほかノベルティとしてクレヨンも制作している。本格お披露目となる2022年12月のデビューイベントでは誇心館塾生らがブースを設営、5種類のポスターやポップをディスプレイするほか、リーフレットを配布するなどした。

ノベルティ企画（児玉組）

付箋、タオル、スノードームなど、福島県をPRするノベルティを誇心館塾生それぞれが企画。塾生が企画するに際しては、「①興味ない人を振り向かせる」ものであること、独りよがりを避けるために「②アウェーだと思ってみる」こと、「③相手がどのような人物で、どんな状況で受け取るのかを想像」することなど、いくつかのハードル（条件）が課された。「294ま（ふくしま）」キーホルダーほか試作品も制作している。

ラジオCMシリーズ

ふくしまの音

題材　郷土料理「がにまき」

意図した音　『モクズガニをすり潰す音。』

場所　南相馬市

解説　モクズガニを、生きたまますり潰す郷土料理。食材の希少性と、難解な調理方法から、後継者が失われつつある、未来に遺したい郷土の食文化です。

クリエイター　樋口　徹

▲郷土料理「がにまき」

▲モクズガニ

No.1

ラジオCM原稿

タイトル　後継者は私じゃない

共通NA　聞いておきたい、ふくしまの音

職人　「（石臼に）まず、採れたてのモクズガニを5・6匹入れまして」

SE　カサコソ・・・（モクズガニの動く音）

女性　「まだ動いてる・・・」

職人　「そうですね、で、（臼を）セットして、挽いていきます」

（※ 状況が分かる説明を入れる、録れた素材によってフレキシブルに、リアクションも自然な言葉で。）

女性　「はい」

SE　（ゴリゴリゴリィィィイイイ――――）

女性　「いや～、え～、ちょっと、え～」

SE　（ゴリゴリゴリィィィイイイ――――）

女性　「嘘～、やだ～」

NA　この音、何の音かわかりますか？ ホラー映画がお好きな方なら、見当がついたかもしれません。

職人　「やってみますか？」

女性　「ちょっと待って、ちょっと待って、ええ～っ」

NA　このゴリゴリという音。福島県の相双地方の郷土料理「ガニマキ」を作るために、採れたてのモズクガニを、石臼で、殻が無くなるまですり潰している音なんです。

女性　「えー、ムリですぅぅぅぅ――――」

NA　すり潰したモズクガニを汁に入れると、フワッとつみれのになる。そんな郷土料理「ガニマキ」。

ふくしまの音

Sound of FUKUSHIMA

Fukushima Stars Guide 2023

浜通り・編

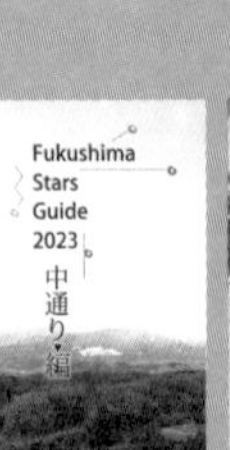

Fukushima Stars Guide 2023

会津地方・編

大山祇神社の鳥居

見たことのない景色が広がる

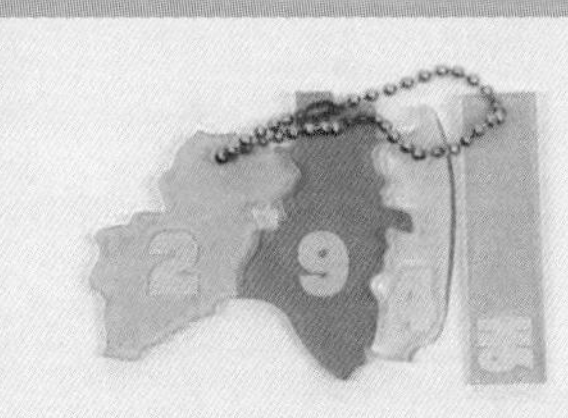

いつでもどこでもそこが福島になるグッズ

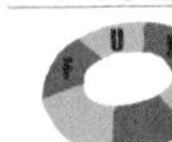

デザインに福島を感じるイラストや
デザインを入れる

「福」の「島」…
福が書いてある島…で
どこでも福島を感じられる？

アイランド的なイメージの
・レジャーシート
・サウナマット
・うきわ

福が書いてある島の上に乗ることで、
どこにいてもそこが福島になる！？

ライトな入り口で福島を感じてもらうには…？

思わずいじりたくなる・使いたくなるグッズ

案①福島を感じる定規

案②ネギ箸

案③赤べこライト

3・11連続ラジオドラマ「12年前のわたしへ」（並河組）

2011年3月11日。中学2年生の主人公・凪が、祖母の住む会津のさざえ堂で揺れに見舞われ、気づいたときには12年後にタイムスリップ。クマのキャラクター「あいくー」とともに県内を旅しながら、いまの福島を生きる大人たちに出会う。東日本大震災・原子力災害伝承館など実在する場所、人に取材したドキュメンタリーパートも。2023年3月6日から9日までふくしまFMでオンエア。特設サイトも立ち上げている。

福島弁全国普及プロジェクト（並河組）

福島のあったかい人柄がつまった福島弁の様々な効果を実証し、全国に広げていくプロジェクト。「福島弁の絵本を使えば、赤ちゃんの寝かしつけが00秒早くなる!?」、「オンライン会議をすべて福島弁にすれば笑顔が00%増える!?」といった仮説を立てて実験を行い、結果は特設サイト上で発表している。ほか福島県内在住の1000名を対象に実施した「福島弁アンケート調査」も実施。

PINCH OPEN FUKUSHIMA（並河組）

福島県をかたどった絵地図がサイトに表示される。それをピンチ・オープンする（指で拡大していく）と、約200人の県民が「ふくしま」を表現した言葉が散りばめられている。クリックで全文が読めるほか、関連動画や記事へのリンクも。「福島県を全体的に見る・伝えるのではなく、そこに暮らす『ひとり、ひとり』の素朴な姿が見えるような、多様な『個』からの視点を大切にしたクリエイティブ」をコンセプトに制作された。

ふくしまオノマトペーパー（寄藤組）

「ぐんぐん」にアスパラガス、「パチン・トントン」にイカにんじん、「シャラシャラ」に凍もち、「トロトロ」にクリームボックスなど、福島の名産品や名物にオノマトペ（擬声語）をかけ合わせた33種類のペーパーを誇心館塾生がデザイン。関連施設や業界団体と連携し、包装紙や手提げ袋、折り紙ノベルティなどに活用してもらうことで、ふくしま応援の機運を生み出すことを企図したプロジェクト。

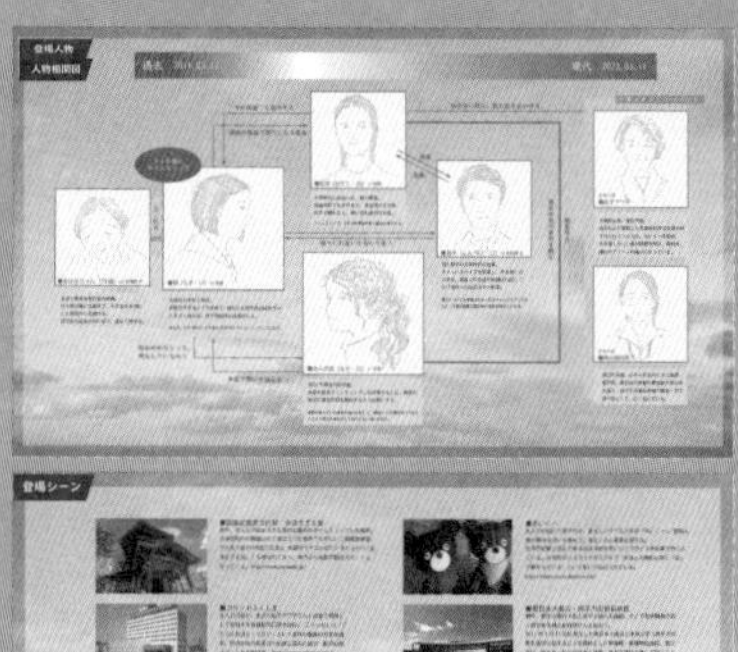

いま、わたしがこの場所にいること。
それだけで、凄いことだと思わない？
12年前のわたしへ

実は「聞いていると気分が落ち着く」と感じる人は

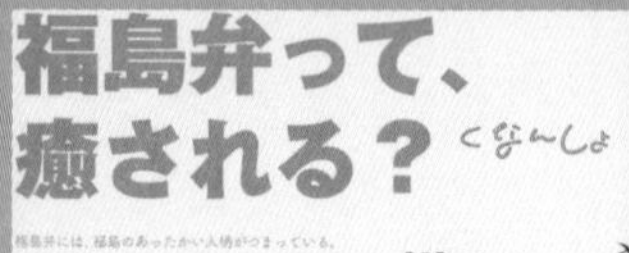
福島弁って、
癒される？
くなんしょ
福島弁には、福島のあったかい人柄がつまっている。
地元の人からは「福島弁ってちょっとださい」と思われがちだけど、福島弁で話すと、ちょっとなごむ、優しくなれる。
空気が、あたたかくなる。
これって、コミュニケーション上の「効果」と言えるんじゃないか。
福島弁のさまざまな効果を実証し、福島弁の使用を全国に広げていく前代未聞のプロジェクトが、「福島弁全国普及プロジェクト」です。そして、福島弁を通して、福島の魅力を、
全国の方々に知ってもらうことを
目指します。
FUKUSHIMA DIALECT PROMOTION PROJECT
福島弁
全国普及
プロジェクト
じしゃ
さすけ
すっぺらこっぺった
まてぃ
ぽい
までい
いだまし

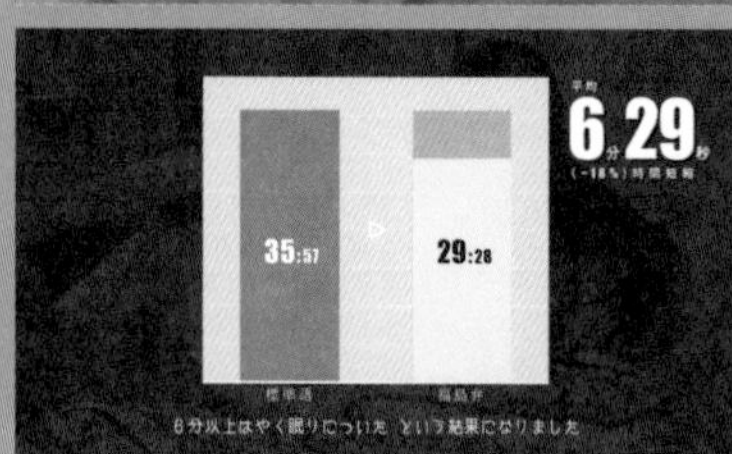
平均
6分29秒
(−18%)時間短縮
35:57
29:28
標準語
福島弁
6分以上はやく眠りについた という結果になりました

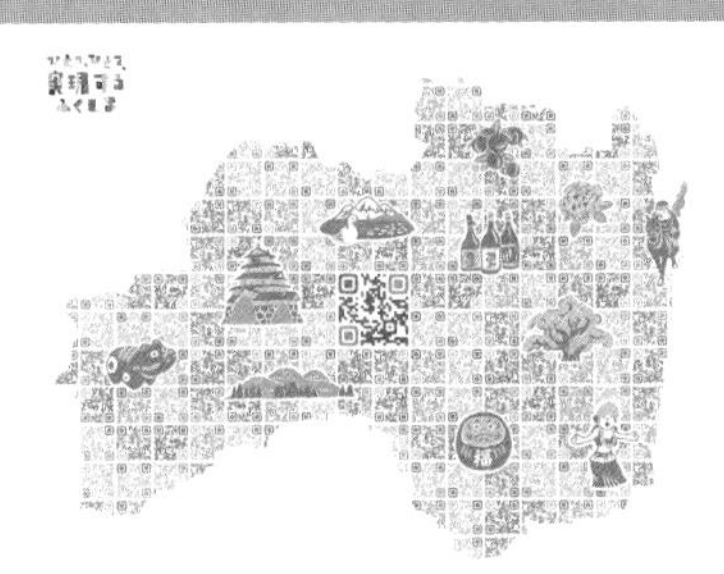
実現する
ふくしま

HOW TO ENJOY

SCAN!

&

PINCH OPEN!

「pinch open (ピンチ・オープン)」とは、指先で画面を拡大する動作。

あなたの目の前に現れるのは福島県をかたどったちいさな地図です。

画面を指先で拡げていくとき、どんな言葉があなたの目に留まるでしょうか。

「pinch open」を通して、今のあなたが知らないふくしまに出会ってください。

PINCH
OPEN
Fukushima
つまんで、ひらく。ふくしまが、ひらく。
PINCH OPEN
FUKUSHIMA
「PINCH OPEN FUKUSHIMA」
https://pinchopen-fukushima.com

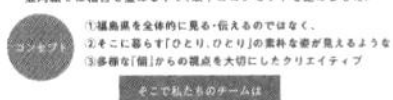
ABOUT
並河組では稽古を重ねる中で、以下のコンセプトを定めました。
コンセプト
①福島県を全体的に見る・伝えるのではなく、
②そこに暮らす「ひとり、ひとり」の素朴な姿が見えるような
③多様な「個」からの視点を大切にしたクリエイティブ
そこで私たちのチームは
①「ふくしまは○○だ」というイメージの発信ではなく、
②福島県に暮らす人々が「自分」を主語にして語った言葉の
③集合体を見える化した、県民主体の発信のプラットフォーム
をつくることで、

つつんで、
ひろげて。

あとがき

大阪で生まれ育ち、その後上京した私にとって、福島は長らく遠い場所だった。

　この土地での最初の記憶は、米を炊いたこと。２０１１年、４月上旬。南相馬市の避難所に手伝いに行った。あるＣＭ制作会社が被災地に支援物資を届ける活動を行っており、出向いた先で炊き出しもやっていた。そのチームに同行させてもらったのだ。

　地域の人たちは傍目にも明らかに疲労困憊（こんぱい）していた。今後どうなるのか？　先行きの見えない不安や焦燥が痛いほど伝わってきたが、私にできたのは米を炊くことくらいだ。

　９月には「ＬＩＶＥ福島　風とロック　ＳＵＰＥＲ野馬追」を取材した。最終日、会場となった日産自動車いわき工場の熱気はすごかった。まるで弾けるようにして、ふるさとの力が湧き上がってくるのを体感した。

　ややあって、福島を訪問する回数が徐々に増えていく。２０１４年から２０１８年まで、夏場は若いクリエイターたちと県内各地をめぐった。只見町、会津若松市、川内村、田村市、広野町、福島市（飯坂温泉）、南相馬市――「クリエイティブサマーキャンプ」と名付けられたその若手育成プログラムでは、29歳以下の映像制作者たちが地域で合宿し、その土地の魅力を発信する30秒のCMを企画制作する。優秀作は渋谷のスクランブル交差点の大型ビジョンで流れる。

私は講師役だった。福島以外の県にも行ったがロケ地は東北が多かった。どこに行っても地域や行政の方々は親切で、クリエイターによる草の根活動を親身に支援してくださった。この5年のあいだにも、復興は着実に進んでいるようだった。しかし、訪(おとな)う先々では、地元の人たちだけでは解決が困難な数々の課題の話も聞いた。

ここ数年は別の仕事でちょくちょく郡山へ行く。２０１１年以降、遠かった福島が少しずつ近くなってきた。行くたびに少し知る。福島県は広いこと、いろんな町があることを。そして好きになる。

どこに行っても米・日本酒がうまい。野菜・肉がうまい。風景がいい。出会う人がいい。わざとらしく飾られていない〝天然の魅力〟がある。それは行ってみて初めてわかる。

だが、ブランド化や情報発信の観点から言うと、この〝天然の魅力〟というものは料理が難しい。「ありのまま」であることが価値になっているからだ。つまり、よけいな味付けはいらない。ブランディングをある種の「イメージ」や「ストーリー」づくりと捉えたとき、広告業界人が得意とする〝都会的〟な発想で下手にそれを行うと、素材の持つおいしさをかえって損ないかねない。

これは福島県だけでなく、ほかの地域にも当てはまりそうだ。つまり、ふるさとは〝天然の魅力〟が詰まった箱のようなもの。オーガニックでオーセンティックな何かを人はそこに求める。素朴な表現なら伝わるかと言うと、そういうことでもない。クリエイターにとって地域プロジェクトの仕事はプレッシャーも大きいだろう。

だが、それゆえに、やりがいがある。クリエイティブを活用して公共の課題をいかに解決するか？　本書ではあまりふれられなかったが、世界の趨勢（すうせい）に鑑（かんが）みてもそれが広告のメインテーマになり始めている。なかでも「ふるさとブランディング」は、21世紀の革新的コミュニケーション領域のひとつである。ゆえに新しい時代に見合った戦略性も必要だ。「鬼」ではなく「福」の発想が求められている。

福島県の場合、「風評・風化対策」は喫緊の課題であり続けている。ブランディングは正しく行われたとき、誤解を理解に変える力がある。行政が主体となり、一人のクリエイティブディレクターが丹精こめて、従来の広報の枠を超えた本格的なブランドづくりに、ここまで長く深く取り組んだ例は、寡聞にして私は知らない。

箭内道彦氏はまさに適任だったと思われる。彼の表現力はふるさとの〝天然性〟を傷つけることがない。どこまでも寄り添う。声に耳を傾ける。その一方で大胆でもある。

ふるさとの〝天然〟の素地を〝天才〟と言い換えたところから、たぶんすべては始まっている（「207万人の天才。」）。

「点をつなぐ」という彼の手法は、「音楽レーベルづくり」に似ている気がする。多様なミュージシャンが参加しつつも一体感がある、フェスのようなブランディングなのだと私は解釈している。90年代から活躍するベテランのクリエイティブディレクターだが、彼のマインドは常に同時代を走っている。

だが、本文でもふれられているように、箭内氏はふるさとの〝天然〟に反発していた時期がある。金髪に原色系の出で立ちはアンチ・オーガニック。天性の広告っ子である。

「ふるさとは遠きにありて思ふもの そして悲しくうたふもの」「帰るところにあるまじや」。室生犀星ばりのそんなロックも叫んでいた。彼を立ち上がらせたのは、ふるさとの危機だ。

「東日本大震災からの復興」「福島に対する個人ヒストリー」「ふるさとブランディングとは？」——本書では主にこの3つのレイヤーが並行して展開される。3レイヤーは、いずれもそれだけで1冊の本になりそうなテーマだが、本書では切り離して語れない。ひとつに煮込まれてドキュメントになる。通常のブランド解説本の体裁では、ふるさとの光と影、現場のリアルに迫りきれない。

そのため著述は容易ではなかった。取材、執筆中に予期せぬ事態も様々に生じた。だが、やり遂げなければならないと思った。「ふくしま」のプロジェクトには、地域ブランディングの明日を考えるだけでなく、日本の広告業界の閉塞感を突破するヒントも秘められていると感じていたからだ。

近年私は、海外事例の取材・執筆がメインなのだが、外との比較で見ると、日本のクリエイティブは年々ガラパゴス化している。ＡＩなどテクノロジーの進化も著しい中で、このままの状況では厳しい、という強い危機感がある。時代は明らかに変わった。明日をつくるブランドとはどういうものだろう？　私にはそんな関心がある。

今回取材を進める中で、福島県の発信にはグローバルなクリエイティブの文脈と、マインド面でシンクロする部分もあると感じた。誇心館の塾生たちの企画を見ていると、もっと積極的に外を目指す方向性もあるとさえ思う。「グローカル」という言葉もあるように、本質を突き詰めたローカルは世界に届く。

新米編集者だった私が10コ先輩の箭内氏と知り合ってからすでに20年。「風とロック」

もハタチ。そのタイミングでこの〝共演〟が実現したことがとてもうれしい。文章の往復リレーはセッションのような感覚がある。チューニングを繰り返し、ひとつ、ひとつ、実現する1冊となった。このスタイルでなければ、言い表せないことがあった。

山あり谷ありの長いコースを、証言コメントで襷（たすき）リレーしてくださった、内堀雅雄知事はじめ関係クリエイター、装丁も手がけていただいた寄藤文平氏、そして福島県庁の皆さまに心よりお礼申し上げる。

編集を担当してくれた山田智子氏、風とロック・平井真央氏の叱咤激励は、さながら箱根駅伝の監督車からの声かけのようだった。書籍もそうだが広告は一人ではつくれない。本書に紹介させていただいた数々の施策に携わったすべての方々に敬意を表したい。

2023年3月、WBC日本優勝の翌日に

河尻亨一

箭内道彦　やない・みちひこ

1964年福島県郡山市生まれ。クリエイティブディレクター。東京藝術大学美術学部卒業。博報堂を経て2003年「風とロック」を設立。タワーレコード「NO MUSIC, NO LIFE.」など、数々の話題の広告キャンペーンを手がけながら、フリーペーパー「月刊 風とロック」の発行、NHK「トップランナー」のMC、震災前から続ける故郷福島での音楽イベントの開催ほか、既成の枠に捉われないその活動は多岐にわたる。2015年より福島県クリエイティブディレクター。ロックバンド「猪苗代湖ズ」ギタリスト、母校 東京藝大の教授でもある。本書の印税全額を福島県に寄付する。

河尻亨一　かわじり・こういち

1974年大阪市生まれ。編集者・作家。早稲田大学政治経済学部卒業。雑誌「広告批評」を経て、現在はクリエイティブとジャーナリズムをつなぐ様々な活動を展開。カンヌ国際クリエイティビティフェスティバルを取材するなど、海外動向にも詳しい。翻訳書に『CREATIVE SUPERPOWERS』。評伝『TIMELESS　石岡瑛子とその時代』で第75回毎日出版文化賞受賞〈文学・芸術部門〉。

ふるさとに風(かぜ)が吹(ふ)く
福島(ふくしま)からの発信(はっしん)と地域(ちいき)ブランディングの明日(あした)

2023年5月30日　第1刷発行

著　者　箭内道彦＋河尻亨一

発行者　宇都宮健太朗
発行所　朝日新聞出版
〒104-8011　東京都中央区築地5-3-2
電話　03-5541-8832（編集）
03-5540-7793（販売）
印刷製本　広研印刷株式会社

Published in Japan by Asahi Shimbun Publications Inc.　ISBN978-4-02-251896-5